NADZIEJA

KATARZYNA MICHALAK

NADZIEJA

seria z czarnym kotem

Nadzieja jest jak pierwszy powiew
wiosny: serce jeszcze zmrożone, ale
w duszy już kiełkuje jasny płomień.
K.L.

Dla Moniki i Radka oraz ich synka,
Piotrusia Pana, z miłością

CZĘŚĆ I

Mała samotna dziewczynka

Nikt nie zwracał uwagi na kobietę idącą szybkim krokiem przez most Poniatowskiego. Doszła do zameczku – małej zabytkowej budowli stojącej pośrodku mostu – i ukryła się przed oczyma nielicznych kierowców między tylną ścianą a balustradą odgradzającą chodnik od przepaści.

Spojrzała w dół, na lśniące w świetle księżyca srebrnoczarne wody Wisły. Przez chwilę coś szeptało w umyśle kobiety: „Skacz... Skacz! Uwolnij się raz na zawsze!".

Ale nie była na to gotowa. J e s z c z e nie.

Zdjęła z ramienia torbę podróżną i wyciągnęła laptop. Bez wahania cisnęła go do Wisły, patrząc, jak z pluskiem znika w ciemnych wodach. Telefon komórkowy był następny. Oczy kobiety zabłysły jakimś diabolicznym uśmiechem, który zaraz zgasł.

– Co jeszcze? Co jeszcze?! – zaszeptała nerwowo. – Karty! Karty kredytowe!

Podzieliły los laptopa i komórki.

– Dowód. Ma czipa czy nie? Chyba nie. Dopiero mieli wprowadzić. – Dowód powędrował z powrotem do przegródki portfela. – Prawo jazdy? Nie. Paszport? – Wyciągnęła dokument i przyjrzała mu się uważnie. Pachniał nowością. Odciski palców, które pobrano jej przy składaniu wniosku, zalśniły złowrogo. Paszport już miał dołączyć do laptopa i komórki, ale... schowała go z powrotem do torby. Jeśli będzie musiała uciekać dalej, może być potrzebny...

Poczuła, jak wielki ciężar osuwa się z jej barków. Aż musiała przysiąść na torbie, bo nogi się pod nią ugięły. Łapała przez chwilę powietrze, by odetchnąć wreszcie głęboko, całą piersią.

Zrobiła to! Odważyła się!

Już nieco spokojniej przejrzała zawartość torby: parę sztuk wygodnej odzieży – bluza, dżinsy (żadnych żakietów i jedwabnych bluzek!), bielizna, skarpety – grube, włochate, ciepłe i miłe – zamiast nieśmiertelnych rajstop, które musiała nosić do szpilek zawsze i wszędzie, druga para adidasów, szczoteczka do zębów z pastą, szczotka do włosów, słoiczek kremu.

Jeden, tylko jeden! Jak ona to przeżyje?! – zaśmiała się cicho, z satysfakcją podszytą strachem. Nie, nie przed brakiem kosmetyczki wypełnionej kremami, lotionami, maseczkami, pilingami, tonikami i mleczkami, a przed konsekwencjami tego, co zrobiła.

Odpędziła myśli o tym, co będzie, i powróciła do przeglądania zawartości torby. Pakowała się w takim tempie, że mogła czegoś zapomnieć. W przegródce ukochana książka „Przeminęło z wiatrem" i kilka krzyżówek jolek, by wystarczyło na dłużej. Wreszcie, w sprytnie ukrytej kieszonce gruby plik banknotów. Pochodziły z wyczyszczonego do zera konta i sprzedaży samochodu. Facet z komisu dał jej śmiesznie mało za całkiem niezłą toyotę, ale widział, że właścicielka samochodu jest zdesperowana. Ona zaś się nie targowała. Na pierwszą propozycję kiwnęła głową, rzuciła na stół dokumenty auta, dowód osobisty i mruknęła, myśląc już o następnym kroku:

– Niech pan pisze umowę. O ile ma pan te trzydzieści tysięcy w gotówce.

– Mam. – Patrzył na nią przez chwilę podejrzliwie. – Może przełożymy transakcję na jutro? Muszę sprawdzić parę rzeczy... – zaczął powoli.

Bez słowa zagarnęła dowód rejestracyjny, dowód osobisty i oba komplety kluczyków. Nim cisnęła je do torby, już łapał ją za rękę, już zasiadał do pisania umowy. Kradziony czy nie – taka okazja nie trafiała się co dzień.

Bogatsza o trzy pliki setek i uboższa o cztery kółka poszła do banku złożyć dyspozycję wypłaty.

– Tak, poproszę wszystko. Mam na oku ładny samochodzik. – Uśmiechnęła się do kasjerki, by parę minut później wyjść z debetem na koncie i pięcioma plikami setek w sekretnej kieszonce. Razem z pieniędzmi za samochód dawało to sporą kwotę, która przyda się już niedługo.

W knajpce na Nowym Świecie doczekała do późnej nocy, po czym ruszyła w kierunku mostu, dokończyć dzieła – dzieła zniszczenia, totalnej anihilacji dotychczasowego życia.

W momencie, gdy wrzucała pieniądze z powrotem do torby, poczuła pierwsze łzy na policzkach. Otarła je zdziwiona. A potem przygryzła skórę na wierzchu dłoni, by stłumić szloch. Plecami wstrząsnęło łkanie. Zgięła się wpół i pozwoliła sobie na chwilę słabości. Płakała, szukając na oślep paczki chusteczek i nagle... palce zacisnęły się kurczowo na niewielkim znajomym przedmiocie. Drugi telefon, którego numer znała tylko jedna osoba na świecie. Jakimś cudem (kiedy?!) podczas chaotycznego pakowania odnalazła tę komórkę i wsunęła do bocznej kieszeni przepastnej torby. Nie pamiętała tego. Z ostatnich kilku godzin niewiele zresztą zostało jej w pamięci. A jednak, niczym ostatnią deskę ratunku, ściskała teraz w dłoni ten telefon.

I już wiedziała, dokąd podświadomie chciała uciec. Nadzieja. Dom otoczony lasami jodłowymi w pobliżu maleńkiej wsi – dziś może już wymarłej – daleko w górach. Przymknęła powieki, by wrócić do tamtych dni...

Zjeżdżają z drogi brukowanej kocimi łbami. Chłopiec siedzący obok kręci się coraz bardziej, nie może usiedzieć w miejscu.

– Zaraz zobaczysz, zaraz zobaczysz! – powtarza przejęty do granic, ściskając rękę dziewczynki tak mocno, że aż boli, ale ona prawie tego nie czuje, podekscytowana tak samo jak on.

Droga wije się przez pradawną jodłową puszczę. Dziewczynka nigdy w życiu nie widziała tak wspaniałych drzew. Odchyla głowę i patrzy w górę, gdzie poprzez gałęzie przebijają się promienie słońca. Powietrze pachnie cudnie: żywicznie i grzybowo. I... ciepło. Dziewczynka przymyka powieki i rozkoszuje się tym zapachem, tym dniem, towarzystwem tych dwojga: swojego przyjaciela i jego cioci...

Kobieta otwiera oczy. Wolno, niechętnie. Zostałaby tam, w przeszłości, już na zawsze, ale jest tu i teraz. Do Nadziei musi dopiero dotrzeć. Czy trafi? To było tak dawno...

Wsuwa komórkę do kieszonki kurtki, tuż przy sercu, by czuć jej zbawczy kształt i wstaje z klęczek. Teraz ma cel: odnaleźć drogę do domu. Jedynego, w którym chciała się teraz znaleźć. Tam, gdzie może odzyska to, co – wydawało się – utraciła na zawsze. Nie, nie miłość tamtego chłopca, który teraz jest mężczyzną, a radość życia i... szacunek. Szacunek do samej siebie.

Sześcioletnia Lila nieustraszenie wędrowała leśną ścieżką. Krótkie nóżki poniosły ją najpierw przez zarośnięty chwastami ogród, potem dziurą w płocie przepełzła do sadu, przebiegła przez łąkę i wreszcie doszła do lasu.

Szła szybko, ocierając co chwila łzy.

– To m ó j dom, m ó j tatuś i m o j a mama! – Cały czas słyszała pełne nienawiści słowa przybranej siostry. – Ty, smarkulo, nie masz tu nic do roboty! Idź sobie!

I tego dnia poszła. Nie miała kogo prosić o pomoc.

Ojciec nauczył ją – ostrym słowem, a czasem biciem – by nie sprawiała kłopotu, nie plątała się pod nogami, nie zwracała na siebie uwagi. Najczęstszymi słowami, jakie słyszała, były: „Idź się pobawić!", „Nie kręć mi się tu!", „Daj mi spokój!". Gdy był pijany, słowa zmieniały się w przekleństwa, a pięści szły w ruch, Lila nauczyła się więc być niewidoczna. Poznała wszystkie kąty starego domu, drogi ucieczki i kryjówki. Wiedziała, jak niepostrzeżenie umknąć do ogrodu i dalej, przez sad do lasu.

Mimo to każdego wieczoru z nadzieją czekała na powrót ojca z roboty, a gdy był w dobrym humorze, pytała nieśmiało:

– T-tatu-u-usiu, p-pobawisz się ze-e-e mną?

Ojciec wpadał wtedy w furię, łapał dziewczynkę za ramionka i potrząsał nią, krzycząc:

– Ze mną! Powiedz „ze-mną"!

– Z-z-e-e-e – zaczynała posłusznie i już nic oprócz tego „eeee" nie przechodziło jej przez gardło. On wtedy puszczał dziecko, pocierał twarz i oczy, po czym szedł do kuchni, brał butelkę i zamykał się w swoim pokoju.

Gorzej było, gdy zaczynał płakać – patrzył na córkę z zaciśniętym zębami, a po policzkach spływały mu łzy.

Lila wtedy uciekała. Jak najdalej. Czując w sercu wielki smutek. Choć nie tak straszny jak tego dnia, gdy dowiedziała się, że to ona zabiła swoją mamę… że gdyby nie Lila, mama by żyła, a tata byłby szczęśliwy…

Mimo to co dzień czekała na ojca. I, gdy tylko miał lepszy humor, pytała:

– T-tatu-u-usiu, p-p-pobawisz się?

Kilka miesięcy temu, a więc dla małej dziewczynki strasznie dawno, w starym domu zawitała kobieta z córeczką nieco od Lili starszą. Jakaż była początkowo radość dziewczynki i jakie później rozczarowanie, gdy okazało się, że przybrana siostra nie zostanie jej przyjaciółką, że Ela, zamiast pokochać, znienawidzi dziecko od pierwszego spojrzenia i zrobi wszystko, by małej się pozbyć.

Matka Elżbiety, nowa żona pana Stacha Borowego, była kobietą o dobrym sercu. Na początku dbała o obie dziewczynki – i rodzoną córkę, i tę przybraną, która patrzyła na kobietę wielkimi błękitnymi oczami pełnymi nadziei. Ale zbyt dużo miała obowiązków na zaniedbanej gospodarce, by zauważyć – skrzętnie przez swoją córkę ukrywaną – niechęć do dziewczynki. Nie chciała też widzieć, jak jej mąż traktuje rodzone dziecko. Parę razy napomknęła, że sąsiedzi mogą zauważyć siniaki na rękach Lilki, ale osadził żonę jednym warknięciem. Umilkła więc, przyrzekając sobie, że Elżuni bić nie pozwoli.

Lila zaś się nie skarżyła. Ojciec nienawidził, gdy przychodziła do niego ze swoimi małymi kłopotami: rozdartą sukienką, stłuczonym kolankiem, zagubionym pluszowym pieskiem – jedną z nielicznych zabawek, jakie miała.

We wsi wszyscy wiedzieli, że kochał pierwszą żonę i nie mógł przeboleć jej śmierci, za którą obwiniał małą. Nie krył się z tym ani przed sobą, ani przed dzieckiem, zaś sarkanie sąsiadek go nie obchodziło. Lila nie chodziła głodna, brudna czy obdarta – i to wystarczyło. Większość dzieciaków we wsi była gorzej traktowana, a siniaki po ciężkiej ręce ojca czy matki nosiły nie tylko na ramionach. Nie przyszło mu do głowy, że może i mali sąsiedzi biegali samopas całymi dniami, jednak w domu ktoś ich kochał. Jego córka, odrzucona przez rówieśników przez jąkanie, nie miała nikogo takiego.

Dzieciństwo Lili byłoby smutne, gdyby nie wspaniała, nieograniczona wyobraźnia. To właśnie wyimaginowani przyjaciele ratowali dziecko przed dotkliwą samotnością.

Teraz też, idąc przez skąpany w słonecznych promieniach las, dyskutowała zawzięcie z niedawno wymyśloną Logopedą. To imię usłyszała kiedyś od macochy, która namawiała męża, by poszedł z dziewczynką do specjalisty. Lila, pełna nadziei, potakiwała słowom cioci Marii, ukryta za drzwiami, lecz wizyta u tajemniczej nieznajomej nie doszła do skutku. Ojciec coś tam odmruknął, zbył kobietę gniewnym „Może później, po sianokosach" i zapomniał o sprawie. A Lila jak się jąkała, tak jąkała. Za to zyskała niewidoczną przyjaciółkę o egzotycznym imieniu.

– I w-widzisz, droga Logo-o-opedo – mówiła teraz, idąc raźnym krokiem przez las – tak do mnie Elżunia krzyczała. To jej do-o-m, jej ma-ama i nawet mój tatuś jest je-ej! A potem po-owiedziała, że jeśli sobie nie pójdę, to ona uto-opi mojego Miśka w stu-udni. Co więc miałam zrobić? – Przycisnęła do piersi pluszaka, wyliniałego, przybrudzonego pieska, który był z Lilą od urodzenia, przytuliła go z całych sił. – Nie da-am utopić Mi-i-i-i… – Dziewczynka przełknęła głośno niesforną samogłoskę. – T-to koniec!

Nagle stanęła. W zaroślach rosnących wzdłuż drogi rozległ się bowiem tajemniczy szelest.

Lili nikt nie przestrzegał przed samotnymi wędrówkami i złymi ludźmi. Zamiast więc rzucić się teraz do ucieczki, stała z wyciągniętą szyją, próbując wypatrzyć coś w zielonym gąszczu.

To coś ujawniło się nagle: na ścieżkę wyszedł… koń. Wieeelki – dla sześcioletniego dziecka wszystko było przecież takie wieeelkie – brązowy koń. Podszedł do znieruchomiałej z wrażenia dziewczynki, pochylił nad nią łeb i dmuchnął w jasne włoski, aż małej podskoczyła grzywka na czole.

– Oooch… – westchnęło dziecko. – J-jednorożec…

Koń odwrócił się i skierował tam, skąd się wynurzył, po czym wyczekująco spojrzał na dziewczynkę.

– N-nie odchodź, koniku! – zakrzyczała Lila, szukając po kieszeniach czegoś, co mogłoby zatrzymać nowego przyjaciela.

Koń czekał na nią z cierpliwością w wielkich ciemnych oczach. Podeszła do niego z krówką w wyciągniętej dłoni. Powąchał, wziął delikatnie cukierka, przełknął i nadal czekał, przestępując z nogi na nogę i parskając cicho. Wreszcie zrobił parę kroków w przód. Lila za nim. I tak ruszyli na wspólną wędrówkę, która dobiegła końca, nim dziecko zdążyło się zmęczyć.

Koń stanął w pewnym momencie i pochylił głowę. Coś, zwinięte na leśnym poszyciu, jęknęło cicho. Lila bez namysłu podbiegła do skulonej istoty i aż wstrzymała oddech: chłopiec! Na mchu leżał nieco od niej starszy, czarnowłosy, utytłany w błocie chłopiec. Trzymał się za nogę, z której spływała krew. Krew! Dziewczynka zrobiła wielkie oczy, ale nie rzekła ani słowa, nie uciekła i nie zemdlała, za to szepnęła z zachwytem:

– Wilkołak! – Tak cicho, by nie spłoszyć nieznajomego.

On jednak nie był skory do ucieczki. Mając zranioną nogę, nie mógł zrobić ani kroku. Podniósł na małą pełne bólu, czarne oczy.

– *I cziewo smatriszsja?* I czego się gapisz? – W jego głosie zabrzmiała wrogość.

Dziewczynka, niezrażona odpychającym tonem, podeszła bliżej i przykucnęła przy chłopcu, przyglądając się mu wielkimi oczami. Nie, to nie wilkołak, to elf! Ranny elf na dodatek!

– Masz krew na nodze – powiedziała, dotykając paluszkiem nogawki spodni. – Przynieść ci wody?

– Na co mnie woda? – prychnął i przygryzł wargi, by nie widziała, jak bardzo cierpi. Oczy miał jednak suche. Od wypadku nie uronił ani jednej łzy.

– Mogę obmyć ranę i owinąć liśćmi – zaoferowała się dziewczynka.

W pierwszej chwili chciał ją skląć w obu znanych sobie językach: po rosyjsku i po polsku, ale zrozumiał, że to głupie dziecko jest jego jedyną szansą. Jeszcze długo nie zaczną go szukać, a gdy w końcu to zrobią, może być za późno. Tutaj nikt z drogi go nie zauważy.

– Ty, słuchaj, *malieńkaja*... – Z całych sił starał się mówić spokojnie, by nie zrazić dziecka. – Masz tutaj chusteczkę. – Podał dziewczynce brudny skrawek materiału. – Przywiąż ją do drzewa przy drodze...

– Tutaj nie ma drogi – zauważyło dziecko, rozglądając się.

– Przy drodze, którą ty *priszła* – wyjaśnił cierpliwie, chociaż chciało mu się płakać. – Żebyś nie *zabyła*...

– Nie co? – Mała potrząsnęła głową.

– Nie zapomniała... – niemal jęknął – ...gdzie mnie znaleźć! Wyjdź na drogę, przywiąż do krzaka chusteczkę, a potem wróć do wsi i wezwij pomoc. Przyprowadź tu moją ciotkę, *Anastaziję*.

Lila słuchała uważnie. Bardzo podobała się jej misja, z którą miała ruszyć do wsi, tajemnicze słowa, które wypowiadał chłopiec i ich melodyjny dźwięk.

– Nie znam ciotki Anastazji, ale znam sołtysa. Może być? – zapytała rzeczowo, wstając i otrzepując sukienkę.

– *Możet być.* – Chłopiec opadł na mech, zamykając oczy.

– Nie umrzesz do mojego powrotu? – upewniła się Lila, sięgając do kieszeni. – To dla ciebie. – Podała mu wymiętoszoną krówkę. – Lek na całe zło, jak mówi ciocia Marysia. – Ponieważ nie otworzył oczu i nie wyciągnął ręki, położyła cukierek obok niego.

– Idź, *malieńkaja*. Tylko się pospiesz.

– No jasne! – Lila, zaaferowana, pobiegła przez las, potykając się co chwila. Musi uratować tego elfa! Obejrzała się jeszcze, czy aby na pewno nie zniknął, ale nie – leżał tak, jak go zostawiła, a koń stał pochylony nad nieruchomą sylwetką.

Dziewczynka wypadła na drogę. Stąd nie było widać ani chłopca, ani zwierzęcia. Już miała ruszać w stronę wsi, gdy przypomniała sobie o chusteczce. Niezgrabnie przywiązała ją do gałęzi krzaka...

– P-panie sołtysie, p-panie sołtysie! – krzyczała, stojąc w ciemnej sieni. Po chwili usłyszała człapanie i opryskliwy głos:

– Czego tam?

– P-panie so-o-ołtysie, szybko! Ch-chło-opiec jest ranny, m-może już nie-e-e żyje! Trzeba zaba-a-andażować mu n-n-nogę! – Im bardziej starała się mówić jasno i przekonująco, tym jąkanie stawało się bardziej uciążliwe.

– Co ty gadasz, mała? – odburknął mężczyzna, podciągając opadające z wielkiego brzucha spodnie. – Jaki chłopiec?

– Zna-a-alazłam w le-e-e-e-e... – Lila zacięła się na amen. Umilkła więc nieszczęśliwa.

Sołtys machnął ręką i wrócił do kuchni, gdzie popijał w samotności popołudniowe piwo, ale mała, o dziwo, nie dała się zbyć. Przytrzymała zamykające się drzwi i wsunęła głowę do środka.

– Trze-e-eba mu pomóc, bo u-u-umrze!

– Kto, do diabła?!

– S-s-s-yn Anastazji!

Sołtys nagle zapałał zainteresowaniem. Od dawna smolił cholewki do pięknej sąsiadki, która mieszkała z półdzikim ruskim chłopakiem na skraju wsi. Miał teraz sposobność ją odwiedzić. Chwycił beret, naciągnął na łysiejącą czaszkę i ruszył do wyjścia, nie oglądając się na drepczącą za nim dziewczynkę.

– Anastazja! – krzyczał parę chwil później, stojąc na ganku.

Odpowiedziała mu cisza. Rozejrzał się po schludnym, zamiecionym podwórku. Z obory dobiegł go kobiecy głos i w drzwiach pojawiła się smukła, czarnowłosa kobieta, niosąc wiadro parującego mleka z południowego udoju.

– O, goście… – rzekła bez entuzjazmu na widok sołtysa. – Co tam, Tadeusz?

– Zaprosisz na czaj? Sprawę mam…

– A jaką ty do mnie możesz mieć sprawę? – prychnęła, stawiając wiadro na schodkach ganku. Mężczyzna nie schylił się, by pomóc dźwignąć ciężar. Stał w drzwiach, międląc źdźbło trawy. Przysłuchująca się temu Lila wyczuła, że między tym dwojgiem nie ma sympatii, wprost przeciwnie. Postanowiła więc działać, nim zaczną się krzyki, jak czasem u niej w domu.

– Proszę pa-a-ani, pani syne-e-e-k…

Kobieta zwróciła na nią czarne oczy, jej twarz złagodniała. Patrzyła na małe, zaniedbane dziecko usiłujące coś wykrztusić i serce się jej ścisnęło z litości. Była jedną z nielicznych sąsiadek, które Lila cokolwiek obchodziła.

– Twój chłopak pono ranien – odezwał się sołtys, przerywając dziewczynce zniecierpliwiony.

– Aleksiej? Ranny? – Kobieta uniosła ciemne brwi. Obejrzała się na łąkę, na której powinien paść się koń i pokręciła głową. Pewnie znów gdzieś urwisa poniosło.

– M-m-ma krew na no-o-odze – odezwała się dziewczynka. – Wy-y-ygląda na to, że umie-e-era.

Anastazja Limanowa zaniepokoiła się, bo przecież każdy, kto miał choć odrobinę miłości w sercu, by się zaniepokoił. A ona kochała przybranego syna.

– Gdzie on jest? – zapytała łagodnie, kucając naprzeciw dziewczynki.

– W lesie – odrzekła mała. – Pokażę drogę.

Kobieta kiwnęła głową, wyciągnęła do dziewczynki rękę, a gdy ta ujęła ją, zdumiona, rzekła z uśmiechem:

– Pójdziemy razem.

– Pójdę z wami – mruknął sołtys, próbując ukryć wściekłość, że znów nic z umizgów nie wyszło, a ta upośledzona smarkula Borowego zwróciła na siebie całą uwagę pięknej Anastazji.

W powrotnej drodze jego wściekłość przybrała na sile, musiał bowiem dźwigać mdlejącego co chwila chłopaka, a Anastazja jak nie była nim, sołtysem, zainteresowana, tak nie była. I to nie jemu dziękowała, gdy chłopak znalazł się bezpiecznie w swoim łóżku, a pogotowie było w drodze, a tej małej właśnie…

Lila przysiadła cicho jak mysz w kącie pokoju, przenosząc niespokojne spojrzenie z dorosłych na chłopca. Leżał biedak niemal tak biały na buzi, jak poduszki wokół, z zamkniętymi oczami, oddychając szybko i płytko. Gdy gospodyni wyszła odprowadzić sołtysa na ganek, Lila podeszła na palcach do łóżka, oparła łokcie o materac i przyglądała się chwilę ocalonemu. Otworzył oczy tak nagle i wbił w błękitne oczy dziewczynki spojrzenie tak ostre, aż drgnęła przestraszona.

– Nie płakałem – wyrzucił z siebie, jakby to akurat było najważniejsze.

Dziewczynka energicznie pokręciła głową.

– Nie płakałeś – dodała stanowczo, jakby sam gest nie wystarczał.

– Uratowałaś mnie. – Znów to przeszywające spojrzenie, choć tym razem w czarnych oczach chłopca błysnęła odrobina ciepła. Lila przytaknęła radośnie.

– Nie mów nikomu o tym koniu! – zażądał. – Nie kradłem go, chciałem tylko pojeździć!

– Nie powiem! – zapewniła gorąco.

Przyglądał się jej przez chwilę i wreszcie bladą, ściągniętą bólem twarz chłopca rozjaśnił uśmiech.

– *Spasiba, malieńkaja.* Ja będę twój *drug*, przyjaciel, do końca życia. Przysięgam.

I dotrzymałeś przyrzeczenia, Aleks. Tamtego dnia, najszczęśliwszego, jaki pamiętam z dzieciństwa, skończyła się moja samotność. Na krótko, zaledwie na parę miesięcy, ale potem już nic nie było takie samo, jak przed twoim pojawieniem się...

Zatrzymali cię w szpitalu, bo oprócz złamanej nogi – tak, tak, noga była złamana, nie skaleczona, a ty nie zapłakałeś z bólu, jak zrobiłby to każdy dzieciak w twoim wieku – miałeś wstrząs mózgu. Koń, którego chciałeś ujeździć, nie tylko zrzucił cię przy pierwszej sposobności, ale i kopnął – tak od serca, byś więcej cudzego nie pożyczał, dzieliło więc nas dwadzieścia kilometrów, a ja czułam twoją obecność, jakbyś był tuż obok. Mogłam rozmawiać nie tylko z wyimaginowaną przyjaciółką, ale i z prawdziwym, żywym chłopcem – co z tego, że obecnym duchem, nie ciałem.

Zyskałam dzięki tobie kogoś jeszcze: twoja ciotka, Anastazja, przygarnęła mnie niczym własną córkę. Po raz pierwszy, odkąd pamiętałam, ktoś mnie przytulał, ktoś spędzał ze mną długie godziny, tłumacząc świat, odpowiadając na setki pytań, jakie przez sześć lat wykluły się w głowie dziecka, wreszcie – za czym przepadałam – długimi pociągnięciami szczotki rozczesując moje włosy. Ja mruczałam z rozkoszy jak kot. Ciocia milczała, wkładając w tę pieszczotę całe serce. Zbolałe serce matki, która lata temu straciła swoją własną córeczkę. Wtedy o tym nie wiedziałam i nie musiałam wiedzieć.

Przylgnęłyśmy do siebie: matka, która utraciła dziecko, i dziecko, które utraciło matkę.

Miałeś prawo być zazdrosny, bo przecież i ty byłeś sierotą, nigdy jednak nie dałeś mi tej zazdrości odczuć. Ty nigdy nie wykrzyczałeś: „To mój dom, moja mama, idź stąd!". Siadałeś w kącie, dłubiąc w kawałku drewna tępym scyzorykiem i przyglądałeś się w milczeniu, jak ciocia okazuje mi czułość każdym gestem i spojrzeniem. Mimo tego wiedziałam, wiedziałam od pierwszej chwili, że jeśli Anastazji przyjdzie wybierać między tobą a mną, wybierze ciebie...

Aleksiej, jak można się było spodziewać po zdrowym ośmiolatku, szybko doszedł do siebie. Noga zagoiła się w parę tygodni. Nadszarpniętą dumę leczył nieco dłużej, tłumacząc Lili:

– Utrzymałby się ja na tej bestii, *ty panimajesz*, gdyby nie poniosła w las. A tam niska gałąź jak mnie nie trzepnie bez łeb! Nawet Bohun by *pagib*.

– Co to znaczy *pagib*? – zapytała dziewczynka, patrząc oczami pełnymi uwielbienia na swojego przyjaciela.

– Poległ, umarł – wyjaśnił z anielską cierpliwością.

Leżeli dobrze ukryci pod starą jabłonią w zaniedbanym sadzie Borowego. Ojciec Lili nie znosił obecności własnych dzieci, nie mówiąc już o cudzych, więc po jednej wizycie, gdy Aleks przyszedł przedstawić się gospodarzowi i raz jeszcze podziękować Lili, zbyty opryskliwym tonem mężczyzny i wyśmiany przez jej przybraną siostrę uznał, że owszem, dziewczynkę odwiedzał będzie, ale jej rodzinę niekoniecznie. Stara jabłoń stała się ich tajną kryjówką. Z samego rana Aleksiej zakradał się pod okno pokoju, w którym sypiała dziewczynka, i rzucał kamykami w szybę. Po paru chwilach rozespana, ale szczęśliwa, biegła do sadu i – rozglądając się uważnie, czy nikt jej nie śledzi (tak przykazał Aleksiej) – przemykała między gałęziami, by po chwili siadać naprzeciw przyjaciela.

– Przyniosłaś śniadanie? – To było jego pierwsze pytanie. Nie to, żeby Anastazja chłopca głodziła, jednak, jak przystało na rosnące dziecko, był wiecznie głodny. Lila zazwyczaj przytakiwała, dzieląc się z Aleksiejem podkradzionymi macosze wiktuałami.

Potem zaczynały się opowieści. Zmyślone czy prawdziwe – Lila nigdy nie miała pewności, które są które, bo chłopiec opowiadał równie zajmująco o drugiej wojnie światowej, której nie mógł przecież pamiętać, co o dzieciństwie w Czarnobylu. Właśnie tam się wychował.

Opowiadał o szarych blokowiskach, o ludziach dzień i noc spieszących do pracy na trzy zmiany. O wielkich kominach wyrastających sponad domów. O dzieciarni biegającej całymi dniami samopas, z kluczem na szyi, gdzie starsze dzieci pilnowały młodsze, wycierały nosy, dmuchały na stłuczone kolana, dawały klapsy, gdy maluch zasłużył czy przytulały, gdy płakał... Cóż to były za czasy! Łażenia po drzewach, szaleństw nad smródką, wymyślania zabaw tak szalonych, jak tylko dziecięca wyobraźnia pozwalała. Aleksiej był wtedy lubiany. Wszystkie dzieciaki chciały należeć do jego bandy. Nikt nie nazywał go podłym Ruskiem, nie pluł na niego i nie rzucał w niego kamieniami. Tego Lilce nie mówił. Opowiadał za to o matce i ojcu, którzy choć sterani życiem, zawsze mieli dla jedynaka dobre słowo, czuły gest i rubla czy dwa na słodycze albo zabawkę, by osłodził sobie czekanie na ich powrót w pustym mieszkaniu. Mieszkanie. Dwa pokoiki z łazienką na korytarzu, ot, cały majątek Dragonowów. I tak patrzono na nich krzywo, bo rodzina brygadzisty nie musiała gnieździć się w jednej klitce jak większość czarnobylskich rodzin. Raz w miesiącu, w dniu wypłaty, Czarnobyl zmieniał się w jedną wielką knajpę.

– Co to jest knajpa? – pytała Lilka.

– Taki... bar – odpowiadał zmieszany.

Wszyscy mężczyźni chlali na umór. Do nieprzytomności. – Tu Lilka kiwała głową. To znała z własnego dzieciństwa. – Kobiety wlokły potem zataczających się mężów do domów, by za zamkniętymi drzwiami wszczynać awantury bądź znosić razy. Aleksiej i tu miał szczęście: tata upijał się na smutno i mama, wzdychając ciężko, musiała go tulić i uspokajać, wyrzucając uprzednio syna do drugiego pokoju. Tam, zatykając uszy, by nie słuchać łkań ojca i wrzasków u sąsiadów, czytał książki o przygodach dzielnego Winnetou. I marzył, że pewnego dnia zabierze rodziców do Ameryki.

Lila słuchała tych opowieści oczami pełnymi podziwu i uwielbienia wpatrzona w przyjaciela.

– I co? I co dalej? Pojechałeś do Ameryki? – pytała.

Jednak tu jego opowieść nieodmiennie się urywała. Na wspomnienie wiosny, kiedy kończył sześć lat, milkł. Lila wyczuwała w tym jego milczeniu jakąś mroczną tajemnicę, ale w odpowiedzi na jej pytania kręcił głową. Pozostało wierzyć, że sam kiedyś opowie, jak to się stało, że mieszka z ciotką, tak daleko od domu, dlaczego nie odwiedzają go rodzice, kiedy wróci do domu – choć na to pytanie Lila wolała nie znać odpowiedzi, nie wyobrażała sobie, by przyjaciel mógł ją któregoś dnia opuścić – a jeżeli już to nastąpi, to czy w dalekim Czarnobylu będzie mogła go odwiedzać.

– Czarnobyl? – Jej ojciec, gdy któregoś dnia wymknęła się Lili ta nazwa, podniósł wzrok znad talerza z krupnikiem. – Ten twój Rusek pochodzi z Czarnobyla? Pewnie świeci w nocy! – Zaśmiał się krótko, a Lila zdumiona spojrzała na niego poprzez stół. Chyba nigdy nie widziała śmiejącego się ojca... Nawet zapomniała zaprzeczyć, że Aleksiej nie jest żadnym Ruskiem, lecz

Łemkiem, wiedząc, jak bardzo chłopiec tamtego określenia nienawidzi. – Oni tam wszyscy wylecieli w powietrze. Bum! I już ich nie było. – Borowy skrzywił się. – Był wielki wybuch w elektrowni atomowej i pół miasta poszło z dymem, rozumiesz, mała? Twojemu Ruskowi widać się udało. A szkoda, byłoby o jedno ścierwo mniej.

– O-o-n nie jest R-ruskiem! O-on jest Łe-emkiem! – Lila poderwała się z miejsca, nie bacząc na zdumione spojrzenie macochy. – A Łe-emkowie to dzie-elni ludzie gór, nie ża-a-adne ścierwo! I ja-ak będziesz tak na Aleksieja mówił…

– A ty, jak będziesz tak do ojca mówiła – Borowy, z początku zaskoczony bezczelnością dziewczynki, teraz rąbnął pięścią w stół – to psami poszczuję tego brudasa! A ciebie oddam Cyganom!

Lila umilkła przerażona – nie wiadomo, czym bardziej: szczuciem Aleksieja psami czy widmem cygańskiego taboru. A może tym, czego się właśnie dowiedziała? Że rodzice Aleksieja nie żyją? Musi się tego dowiedzieć, ale od kogo?

– Ciociu – szepnęła do Anastazji następnego dnia, trzymając główkę na jej kolanach, podczas gdy kobieta rozczesywała włosy dziewczynki. Chłopiec poszedł po jabłka do sołtysa. – Czy rodzice Aleksieja wylecieli w powietrze?

Dłoń Anastazji znieruchomiała.

– Twój tata ci to powiedział?

Dziewczynka tylko kiwnęła głową, modląc się, by Anastazja nie wyrzuciła jej za drzwi za takie pytania.

– Tak, Lila, rodzice Alka nie żyją. Był wybuch w elektrowni, gdzie pracowali. Dzieci wywieziono, a dorośli zostali, by ratować, co się da. Dużo ludzi wtedy zginęło, dużo umarło niedługo potem. Ola i Jurij byli wśród tych pierwszych. Nie wspominaj o tym przy Alku. On jeszcze za nimi tęskni.

Anastazji głos lekko zadrżał. Lila pociągnęła nosem.

– Biedny, biedny Aleksiej. Ja mam tatę i nawet przybraną mamę. Ale… on ma ciebie, ciociu. – Podniosła na kobietę nagle rozjaśnione spojrzenie. Ta pogładziła małą po włosach.

Lila tego dnia zrozumiała, że wszystko może się nagle skończyć – wybuch zabiera tych, których kochamy. Zrozumiała też, że w ojcu nie ma współczucia dla osieroconego chłopca, że nigdy nie polubi jej przyjaciela.

Od tej pory pilnowała się, by nigdy słowem o Aleksieju nie napomknąć. Ojciec więcej o nim nie wspominał, choć musiał wiedzieć, z kim Lilka spędza całe dnie. Był jednak zadowolony, że dziecko mu się nie pęta po domu, a Anastazja ma na nie oko.

Lila mogła więc wymykać się jak do tej pory, pod jabłoń. Mogła włóczyć się w towarzystwie Aleksieja po lasach i polach Zagrodziny. Kąpali się w lodowatych strumykach wpływających do Zagrodzianki – do samej rzeki dostępu broniła Aleksiejowi, a więc i Lili, dzieciarnia okolicznych wsi. Piekli w ognisku podkradzione ziemniaki, podpatrywali pasące się na łąkach sarny i dziki żerujące w dąbrowach. Dziewczynka była szczęśliwa i kochała swego przyjaciela całym sercem.

A gdy któregoś dnia zauważyła, że przy nim jedynym się nie jąka...

– Wyleczyłeś mnie! – Aż podskoczyła z wrażenia.

– Z czego? – Zwrócił ku niej rozleniwiony wzrok. Schli właśnie na słońcu po kąpieli w gliniance, za którą to kąpiel zarówno Aleksiej, jak i Lilka oberwaliby w skórę. Niejeden z glinianki nie wyszedł żywy...

– Nie... nie zacinam się! – Dziewczynce trudno było nazywać swe kalectwo po imieniu.

– Zacina to się klucz w zamku, a ty jesteś *dziewoczka*. – Urwał źdźbło trawy i przygryzł zamyślony. – Za tydzień koniec laby. Wracam do szkoły. I wiesz, co się będzie działo?

Spojrzała na niego pytająco. Nie wiedziała, co się będzie działo. Dla sześciolatki szkoła była czymś bardzo abstrakcyjnym.

– Będę tłukł się z dzieciorami i znów mnie wyrzucą. Ciotka oczy przeze mnie wypłacze – odparł ponuro.

– To się nie tłucz – poprosiła.

– Muszę. Oni wyzywają mnie od najgorszych, plują na mnie, rzucają kamieniami. Muszę się bronić. Muszę walczyć!

Lila zamilkła. Na jej widok dzieciaki też zaczynały wykrzykiwać brzydkie wyrazy, z których „ją-ją-jąkała" było najmniej obraźliwe. Ona jednak nie mogła walczyć. Mogła tylko popłakiwać po kątach. I kryć się w swoim własnym świecie, teraz dzielonym z drugim odszczepieńcem.

– I co z nami będzie? – westchnęła ciężko, jak stary człowiek przygnieciony ciężarem lat.

– Nic. – Wzruszył ramionami. – Zawieszą mnie raz i drugi, wywalą i ciotka znów będzie uczyła mnie w domu.

– Bardzo mądra ta twoja ciocia – zgodziła się dziewczynka. – Po co ci jakaś tam szkoła!

Aleksiej spochmurniał. Szkoła była mu na nic, choć chłonął wiedzę, jednak samotność dokuczała. Miałby ochotę poszaleć czasem w towarzystwie rówieśników. Chłopców. Niekoniecznie sześcioletniej smarkuli, ale tego przecież dziewczynce nie powie. Wyciągnął się więc znów na trawie, z rękami pod głową, przymykając oczy od słońca. Tak jak jest, jest dobrze. Nie można od losu wymagać więcej niż te łąki, lasy, złote pola, chłodna woda w rzece, pieczone ziemniaki i towarzystwo chudej dziewczynki o włosach tak jasnych, że niemal srebrnych. To mu wystarczy.

Aleksiej Dragonow nie mógł wiedzieć, że jest to ich pierwsze i ostatnie wspólne, beztroskie lato na długi, długi czas…

Następnego ranka Lila długo nie wychodziła. Rzucał w jej okno małymi kamykami, rzucał, czekał i czekał. Wreszcie odważył się wejść na rosnącą pod oknem jabłoń i zajrzeć do środka, ale dziewczynki w pokoju nie było. Ukrył się więc w gęstych krzakach jaśminu, skąd miał widok na stary dom, i tkwił w nich dotąd, aż Lila pojawiła się na progu. Szła ścieżką do furtki, ubrana w czystą, białą sukienkę, sztywną od krochmalu, trzymając odwiedzione ramionka, by jej nie ubrudzić.

– Lilou! – zawołał cicho, gdy go mijała. – Tutaj, Lilou!

Skręciła w stronę dobiegającego z krzaków głosu.

– Co ty masz na sobie? Do kościoła się wybierasz? – Aleksiej wygramolił się z krzaków, stanął przed przyjaciółką i zmierzył ją wzrokiem. – Jak w tym czymś pójdziesz się kąpać?

– Nie pójdę – odrzekła mała zmartwionym głosem. – Gdyby coś jej się stało… – Miała na myśli sukienkę. – Ale możemy posiedzieć w sadzie. Ciocia Marysia tak powiedziała. Ty też. Bo wiesz – tłumaczyła mu po drodze – mam dziś urodziny. Dostałam tę sukienkę, by nikt nie myślał, że jestem bękartem włóczęgi.

Aleksiej aż się zatrzymał zaskoczony.

– Nikt tak nie myśli! Kto ci powiedział taką bzdurę? *Durok*…

– Tatuś. Dzisiaj rano, gdy dawał mi tę sukienkę. Tatuś nie jest włóczęgą, prawda?

Aleksiej pokręcił głową.

– A ty nie jesteś niczyim bękartem – mruknął. – Wystarczy, że ja jestem.

Zdjął porozciągany sweter i położył na trawie, żeby mała mogła usiąść, nie brudząc sukienki.

– Ciocia Marysia piecze tort – mówiła Lila. – Mam się nie kręcić pod nogami. Wieczorem wróci tata i wyprawimy urodziny.

W głosie małej nie było radości. A przecież zwykle dzieci cieszą się z dnia swoich urodzin. Aleksiej na przykład nie mógł się doczekać września – Anastazja na urodziny obiecała mu rower. Może nie nowiutki, jak sukienka Lili, ale całkiem porządny rower – tak miał zapowiedziane. Och, rower... będzie mógł dojechać nim wszędzie! Gdy trochę dorośnie i nazbiera parę złotych z kieszonkowego, objedzie na tym rowerze cały świat. To sobie obiecał. I to właśnie Lili teraz mówił. Dziewczynka słuchała z rosnącym zachwytem.

– Zabierzesz mnie ze sobą, prawda? – wykrzyknęła, chwytając przyjaciela za rękę. – Ja też nazbieram parę złotych i pojedziemy razem. Nie zostawisz mnie samej! Nie zostawisz, prawda?

– No coś ty, Lilou, pewnie, że nie – odpowiedział bez przekonania. Miał nadzieję na samotną przygodę. Wleczenie za sobą młodszej o dwa lata smarkuli nie bardzo mu się widziało. Z drugiej strony mogła się przydać. Będzie warzyć strawę, szykować nocleg...

– Umiesz gotować? – zapytał dla pewności.

– Nauczę się! Ja szybko się uczę, zobaczysz! – zapewniła gorąco, aby tylko jej nie zostawił.

– Taka podróż to nie wycieczka do lasu. To dużo dalej.

Zamyśliła się na chwilę.

– Dalej niż do miasteczka? – Przytaknął. – Dalej niż... do Warszawy? – W Warszawie nigdy nie była, ale tata co jakiś czas się tam udawał i nie było go dwa dni, musiało to być bardzo daleko.

– Phi, Warszawa! – Aleksiej wydął lekceważąco usta. – Zobacz, jeśli Zagrodzie jest tutaj – położył przy nogach Lili jabłko – a Warszawa tutaj – drugie położył na ścieżce – to świat jest... – Odbiegł na drugi koniec sadu z jabłkiem w dłoni. – Tutaj! – krzyknął, śmiejąc się i wgryzł się w jabłko.

Lila już miała pobiec do niego, ale nakrochmalona sukienka przypomniała, że dziś musi zachowywać się szczególnie ostrożnie.

Tak przekomarzając się, spędzili w sadzie resztę popołudnia.

Dziewczynka z godziny na godzinę milkła coraz bardziej. I smutniała. Co nie uszło uwagi Aleksieja.

– Ej, *malieńkaja*! – Pociągnął ją za warkoczyk. – Zaraz twoje urodziny! Tort już pewnie gotowy, a ty zamiast się cieszyć... Przyniesiesz mi kawałek?

– Pewnie, że przyniosę. – Uśmiechnęła się.

Zaraz jednak uśmiech zgasł.

– Wiesz, w ten dzień ta-a-atuś nie jest szczęśliwy... – Nawet nie spostrzegła, że na wspomnienie ojca znów zaczyna się jąkać. – Bo wie-e-esz, ja zabiłam moją mamu-u-u-u-... – Zacięła się na amen. W oczach niebieskich jak niebo nad ich głowami rozbłysły łzy. Czego jak czego, ale łez u tych, których kochał, Aleksiej nie znosił.

– Bzdury! – wykrzyknął. – Jak mogłaś, taka mała, takie chuchro, zabić kogokolwiek? Nie mówiąc już o własnej matce? Nawet jeśli zmarła podczas porodu, to nie twoja wina! Tak było?

Przez długi czas wydawało mi się – choć nikt na ten temat ze mną nie rozmawiał – że moja matka rzeczywiście zmarła podczas porodu. Może ojciec chciał, żebym w to wierzyła – mógł mnie wtedy obwiniać za jej śmierć i nienawidzić do woli. Prawda jednak była zupełnie inna i dziesięć lat później miałam ją poznać...

Wtedy, w latach mojego dzieciństwa, bałam się każdych urodzin, bo gdy ojciec „nie był szczęśliwy", znaczyło to, że będzie pić. I bić. A z własnych urodzin trudno było uciec.

– Lilka, Lilka! Gdzie ty się podziewasz? Ojciec wrócił! – Z domu rozległo się wołanie macochy.

Dziewczynka poderwała się na równe nogi, bez pożegnania ruszyła biegiem do domu i… wtedy zdarzył się wypadek. Z tego pośpiechu musiała potknąć się czy poślizgnąć na zeszłorocznym jabłku… dość, że padła jak długa, brudząc nieskazitelną do tej pory sukienkę ziemią i zgniłymi owocami.

Aleksiej wydał z siebie zduszony okrzyk. Lila tylko stała, patrząc wielkimi oczami na biały jeszcze przed chwilą materiał. W tym momencie do sadu wszedł Stach. Na widok chłopca spochmurniał tylko, gdy zaś podszedł bliżej… zacisnął szczęki, aż chrupnęło.

– Coś ty zrobiła z sukienką? – wysyczał i jednym skokiem był przy małej.

Chwycił ją za ramię, aż pobladła z bólu i potrząsnął tak, że zaszczękała zębami.

– Ty niewdzięczny bękarcie! Kupuję ci na urodziny odświętne ubranie, a ty tarzasz się w błocie?! Ty… ty… – Przekleństwa, którymi chciał uraczyć córkę, uwięzły mu w gardle. „Nie tutaj, nie przy ludziach" – szeptał w umyśle cichy głos. Zrobił w tył zwrot i ruszył w kierunku domu, ciągnąc dziecko za sobą.

– Tatusiu-u-u, ta-a-atu-u-u... – Jej jąkanie doprowadzało go do jeszcze większej pasji.

Aleksiej stał jak oniemiały przez parę chwil, wreszcie ruszył za nimi. Niewiele mógł pomóc przyjaciółce, ale musiał spróbować.

– Proszę pana, ona się potknęła, to nie jej wina!

Borowy nawet na niego nie spojrzał. Za to Lila owszem.

– Tatuniu, to on! On mnie popchnął!

Mężczyzna stanął.

– Tak, popchnął mnie, bo wiedział, że to prezent od ciebie! – krzyczało dziecko. Aleksiej słuchał i... nie wierzył w to, co widzi i słyszy, po prostu nie wierzył. – Zazdrości mi! Popchnął mnie na kupę zgniłków! To jego wina! – Lila oskarżycielskim gestem wskazała chłopca.

Borowy w jednej chwili był przy nim. W następnej ciskał Aleksiejem o ziemię. Ten próbował coś powiedzieć, ale kopnięcie w bok odebrało mu oddech. Drugie wydobyło z jego krtani skowyt. Mężczyzna kopał raz po raz, nie patrząc gdzie, półprzytomny z furii. Z domu wybiegła Elżunia, krzyknęła, zawróciła po matkę. Gdyby pani Maria nie odciągnęła męża, sama obrywając pięścią, pewnie zakatowałby chłopaka na śmierć.

– Nigdy więcej się tu nie pokazuj! Rozumiesz, ty ruska swołocz?! – wrzeszczał, ciągnięty przez żonę do domu. – A jeśli ciebie, mała wywłoko, jeszcze raz z nim zobaczę...

Zniknął za drzwiami.

Lila dopadła nieruchomego ciała.

– Aleksiej, Aluś, żyjesz? – szeptała, gładząc chłopca po zakrwawionych włosach. Ten uchylił opuchnięte powieki. Lila objęła go drżącymi ramionkami, płacząc cicho. – Przepraszam, Aluś, przepraszam, że nakłamałam na ciebie, przepraszam...

– Pomóż mi wstać – wyszeptał z trudem. – Muszę do domu...

– Ja cię odprowadzę, ja wszystko wyjaśnię!

– Nie! – Wsparł się jedną ręką na pniu wiśni, drugą na ramieniu dziewczynki. – Gdyby ciotka się dowiedziała... Zabiłaby tego... Powiem, że tłukłem się z chłopakami. – Nie patrząc na Lilę, nie poświęcając jej ani jednego spojrzenia, powlókł się do furtki.

– Aluś, przepraszam, wybaczysz mi?! – Mała ruszyła za nim. – Ja... mój tatuś, gdy się złości... – Głos się jej załamał. Stanęła pośrodku ścieżki, ze zwieszonymi ramionami, patrząc, jak jej jedyny przyjaciel odchodzi.

Aleksiej obejrzał się przez ramię z pogardą i nagle... ujrzał Lilę taką, jaka w rzeczywistości była: nie towarzyszka przygód, współkonspiratorka i złodziejka ziemniaków, a mała sześcioletnia zaledwie smarkula, w ubłoconej sukience, ze śladami krwi na rękach i buzi. On, Aleksiej, takie bicie przeżyje jeszcze nie raz, ją Borowy mógł kiedyś zatłuc. Nie, nie kiedyś, dzisiaj właśnie, przed chwilą mógł ją zabić, gdyby nie napatoczył się on, Aleksiej.

Lila podbiegła do niego. Ujęła nieśmiało dłoń przyjaciela.

– Nie mogę już tu przychodzić – mruknął. – Zabiłby mnie ten łajdak.

– Ja będę się wymykać! Nikt nie zauważy, zobaczysz! Umiem… umiem przemykać się po cichutku.

– Musisz uważać, bo ciebie też zabije, gdy nas razem zobaczy.

– Niech zabija, tylko nie zostawiaj mnie samej!

– Już dobrze, dobrze. – Pogłaskał małą po głowie z westchnieniem starego człowieka. – Przez parę dni ciotka mnie *damoj* przyskrzyni, za karę, że znów wdałem się w bójkę, ale potem… potem zaczyna się szkoła – znów westchnął.

– Po szkole będziemy się spotykać. Gdy tylko zobaczę autobus z dzieciakami, pobiegnę się nad gliniankę, zgoda?

– Zgoda. Teraz wracaj do domu na swoje urodziny, Lilith.

Wtedy po raz pierwszy tak mnie nazwałeś. Kiedyś miałam dowiedzieć się z encyklopedii, kim owa Lilith była, a wiele lat później, kim ja byłam dla ciebie.

Nie spała całą noc, choć była tak zmęczona, że piekły ją oczy, a głowa ćmiła niczym chory ząb. Pociąg do Krakowa miał opóźnienie, nieliczni pasażerowie klęli pod nosem, przytupując z zimna – perony na Dworcu Centralnym, jak zwykle, były omiatane lodowatymi podmuchami ciężkiego, stęchłego powietrza. Liliana jednak nie zwracała uwagi ani na komunikaty o kolejnych minutach, kwadransach czy – wreszcie – godzinie opóźnienia, na zimno ani na komentarze współpasażerów. Omiatała wzrokiem to jedne, to drugie ruchome schody, jakby zaraz miał się na nich pojawić ten, przed którym uciekała, choć nie mógł wiedzieć, że ją stracił. Jeszcze nie. I jeszcze co najmniej jeden dzień ma nad nim przewagi. Potem zacznie jej szukać. Z pasją, która przerodzi się w zimną furię. I będzie szukał dotąd, aż ją znajdzie, ale... Tym Liliana nie będzie się na razie martwić. Teraz musi wsiąść do pociągu, potem do pekaesu, do autobusu, by wreszcie wysiąść na przystanku w dalekich, dalekich górach. Potem jeszcze kilka kilometrów leśną drogą i... aż westchnęła na samo wspomnienie.

Maleńka chatka na polance nad strumykiem. Miejsce tak piękne, że aż zapierało dech. Zapewne dobre wróżki przeniosły je na Ziemię z jakiejś bajki. Po ścianach domku pnie się klematis, wokół paprocie rozpościerają pióropusze liści, kamienne schodki wiodą pod drzwi, za którymi już czeka zastawiony stół. Pachnące ciasta, herbata z płatkami jaśminu, bita śmietana z jagodami zerwanymi przed chwilą...

Już niedługo, już jutro tam będzie! Znajdzie drogę! Musi znaleźć!

Jeżeli ten, przed którym ucieka, nie dopadnie jej pierwszy. Panika zdławiła gardło. Liliana przełknęła z trudem ślinę, rozglądając się dokoła. Podróżni z rezygnacją czekali na spóźniony pociąg.

Gdy wreszcie ekspres wtoczył się na peron, pierwsza była przy drzwiach najbliższego wagonu, który się przed nią zatrzymał. Wpadła do toalety, przekręciła zamek i czując, że uginają się pod nią kolana, wsparła się o umywalkę. Nacisnęła czerwony guzik, pociekł cienki strumyczek wody. Nabrała jej w dłonie, przetarła twarz. Odetchnęła raz i drugi.

Gdzieś na zewnątrz rozległ się gwizdek. Liliana wstrzymała oddech. Wypuściła go dopiero, gdy pociąg ruszył. To nie policjant gwizdał. To konduktor. Była... tak, była wolna!

Przygładziła włosy, patrząc niewidzącym spojrzeniem w lustro, ujęła swój cenny bagaż i ruszyła na poszukiwanie miejsca. Na razie w pociągu. Później poszuka swego miejsca w życiu.

Co czuje dziecko systematycznie bite przez rodzica? Oprócz bólu fizycznego, oczywiście? Strach. Tak, to chyba pierwsze, co odczuwałam, gdy zbliżał się wieczór. Czy tata będzie dzisiaj w dobrym, czy w złym humorze? Co mam zrobić, by go nie rozgniewać, gdy od progu warczy i szuka pretekstu, by wszcząć awanturę? Gdzie się schować, gdy wpadnie w furię? Dokąd uciekać? Przecież nie do sąsiadów, gdzie jest to samo...

Ja miałam szczęście, bo ojciec rzadko mnie tłukł. Najczęściej łapał za ramiona, wbijał palce tak, że bladłam z bólu, i zaczynał potrząsać. I wrzeszczeć. Bolał mnie potem kark, bolały siniaki na rękach, ale nigdy nie trafiłam na pogotowie. Dzieciaki z sąsiedztwa owszem.

Nikt się jednak nie skarżył władzy. Podbite oczy? – Wpadłam na klamkę. Złamana ręka? – Potknąłem się na schodach. Stłuczona głowa? – Przewróciłem się na rowerze.

Siniaki ukrywano przed nauczycielami, ci odwracali wzrok. Panowała zmowa milczenia. Przecież wszędzie działo się podobnie. Obowiązkiem ojca jest trzymać rodzinę twardą ręką i zarabiać na dom, obowiązkiem matki –

karmić, sprzątać i wychowywać. Nawet ciotka Anastazja nie raz i nie drugi wlała Aleksiejowi pasem, co przyznawał bez wstydu, szepcząc mi na ucho, że płakał tylko dlatego, by się nie zmęczyła tym biciem. On przecież wytrzymałby nie takie manto.

Dziecko czuje się również winne. To przecież ono rozgniewało tatusia czy mamusię. Rodzice „za darmo" by dziecku nie wlali. Bite dziecko słyszy co i rusz: „To przez ciebie...!", „Ja dla ciebie żyły wypruwam, a ty...!", „To twoja wina...!", a że dorośli nie mogą się mylić (bo przecież nie mogą, prawda?), w dziecku narasta poczucie winy. Klęka, błaga o wybaczenie, całuje matkę czy ojca po rękach i nikt małemu czy małej nie powie, że to oni powinni przepraszać córkę albo syna, nie na odwrót. Nikt tego nie powie, bo przecież wszędzie jest tak samo. Dzieci sąsiadów też obrywają, gdy w domu robi się krucho z pieniędzmi, a po piętnastym zawsze jest krucho, miesiąc w miesiąc, gdy ojcu nie starcza na wódkę, a matce na chleb. Wystarczy błahy pretekst, jedna iskra, by wykrzesać awanturę, która nieodmiennie kończy się biciem. Czasem nawet tej iskry nie trzeba...

Z czasem w dziecku rodzi się bunt – w wieku dojrzewania nie godzi się już na okładanie pięścią czy pasem. Nie przeszkadza to jednak rodzicom, by pannę czy chłopaka okładać. Nadal są silniejsi – jeśli nie fizycznie, to psychicznie. Nadal potrafią wpędzać latorośl w poczucie winy, chociaż nie jest ona już tak bezkrytyczna. Potrafi wykrzyczeć: „Za co?! To twoja wina, nie moja!". Nie raz i nie drugi ojciec zostaje odepchnięty, a pas wyrwany z dłoni.

Ale nie każda córka i nie każdy syn są zdolni do buntu... Ci słabsi pozostaną pod ciężkim butem ojca czy pantoflem *matki do końca. Dopóki ktoś ich nie uwolni i – jak to często bywa – nie zastąpi rodzica w roli „wychowawcy".*

Ty, Aleks, chłopiec, a potem mężczyzna o najsilniejszym charakterze, jakiego poznałam w całym moim życiu, nigdy nie podniosłeś na mnie ręki. Nie nadawałeś się więc do tej roli.

Aleksiej tulił płaczącą dziewczynkę jedną ręką, drugą zaciskając w pięść. Poklepywał małą po plecach, mruczał: „Wszystko będzie dobrze, no już nie rycz", ale tak naprawdę nic nie było dobrze. Nienawidził siniaków na jej chudych ramionkach, nienawidził śladów paska na udach, a najbardziej nienawidził Stacha Borowego, którego sprawką były te razy.

On, Aleksiej Dragonow, za swoją krzywdę – co to go Borowy stłukł w sadzie – się zemścił. Odczekał parę dni i pospuszczał z uwięzi wszystkie krowy ojca Lilki. Zwierzaki weszły w szkodę, Borowy musiał sumitować się przed wściekłymi sąsiadami, potem łapać krasule i odprowadzać z powrotem na pastwisko. Och, mało mu dym uszami i nosem nie poszedł, gdy wbijał paliki. Przekleństwa padały tak gęsto, że krowy powinny już nie żyć. Aleksiej obserwował to z satysfakcją, dobrze ukryty w zaroślach. Borowy mógł się domyślać, kto przyłożył rękę do szkody, ale że za tę rękę nikogo nie złapał, a Anastazja szczeniakowi bez powodu nie wleje, próżno do niej na skargę chodzić. Za to można poczekać, aż nadarzy się okazja i ruski pomiot znów się pod rękę nawinie. Borowy uśmiechnął się do siebie. Aleksiej, widząc ten uśmiech, poczuł mimowolny dreszcz, bo zemsta zemstą, a ślady po butach Borowego na żebrach nosił nadal.

Tak to zaczęła się wojna, która trwać miała dobrych parę lat. Lila, nieświadoma tego, że ją wywołała, płakała teraz w objęciach przyjaciela.

– Tatuś powiedział, że nie mogę się więcej z tobą bawić – zaczęła swoją opowieść od początku, a Aleksiej skorzystał z chwili, gdy uniosła głowę i wytarł dziewczynce nos swoją chustką, już zupełnie mokrą. – Że jak zobaczy mnie razem z tobą, to popamiętam. Zaczęłam go prosić, bo przecież jesteś moim jedynym przyjacielem. Kto inny będzie się bawił z ją-ą-ą... – Jak zwykle, zacięła się na tym słowie. Chłopiec poklepał ją uspokajająco po plecach. – Ale on krzyczał coraz bardziej i bardziej. Nie muszę powtarzać ci, co krzyczał? – Spojrzała Aleksiejowi błagalnie w oczy. Pokręcił głową. Potrafił sobie wyobrazić, jakimi słowy wyrażał się o nim jego wróg. – „Nie wolno ci się z nim spotykać, rozumiesz?!" powiedział na końcu, ale ja, nie myśl sobie, nie zgodziłam się. – Dziewczynka próbowała uśmiechnąć się dzielnie, chociaż usta znów skrzywiły się w podkówkę. Aleksiej westchnął i rozejrzał się za czymś, co może zastąpić chustkę... Lila nie musiała mówić, co było dalej. Policzek już zaczynał puchnąć. Na głowie, którą uderzyła o ścianę, miała zakrzepłą krew. Aleksiej próbował ją zmyć najdelikatniej, jak potrafił. Jedną ręką ją przytulał, drugą zaciskał w pięść. Tu wypuszczenia krów było za mało. Tu trzeba działać bardziej stanowczo. W poniedziałek zaczynała się szkoła, kto obroni Lilę, gdy on będzie zamknięty w czterech ścianach? Przecież nie jej wredna siostra, co sama utopiłaby dzieciaka w łyżce wody. Może macocha Lilki, która czasem brała małą w obronę, narażając się mężowi, ale częściej przecież zgarniała własne dziecko z drogi rozjuszonego mężczyzny i uciekała do sadu.

Nie, Aleksiejowi nie zostało wiele czasu na wymyślenie sposobu działania, coś jednak zaczęło chodzić mu po głowie...

Ostatnie dni lata dzieciaki z całej wsi starały się spędzić jak najbardziej beztrosko. Choć ranki i wieczory były już zimne, a więc i woda w rzece nie nastrajała do kąpieli, brzegi Zagrodzianki pełne były plażowiczów. Podrostki kryły się w krzakach, smakując pierwsze pocałunki, młodsi zrzucali ciuchy wprost na trawę i skakali do wody. Dziewczyny piszczały, chłopcy przytapiali wszystko, co nie zdążyło uciec...

Na uboczu, na rozłożonym kocu, siedziała Anastazja z Lilą. Mała jak zwykle lgnęła do kobiety, ta w jej jasne, niemal srebrzyste włosy wplatała łąkowe kwiaty. Aleks dokazywał po drugiej stronie rzeki. Sam. Gdyby jakimś trafem na plażę przyszedł Borowy, nie mógłby się Lilki czepiać.

Dzieciaki, które z chęcią podokuczałyby jąkale i Ruskowi, teraz trzymały się od nich z daleka. Lila i Aleksiej byli dzisiaj pod opieką Anastazji, a tę w wiosce darzono niechętnym szacunkiem podszytym strachem.

Wysoka i szczupła, czarnowłosa i czarnooka, niezwykle piękna, była wprost przeniesiona z legend o wiedźmach i czarownicach. Choć nie były to już czasy ciemnoty i zabobonów, zaś Anastazja nie przejawiała zdolności magicznych, sąsiedzi woleli obchodzić ją z daleka, dzieciaki również – choć gdy nie mogła ich słyszeć – potrafiły rzucić za kobietą kilka obelg.

Trzymała się z boku wiejskich spraw i awantur, mając własne zmartwienia. Jednym z nich był Alek. Daleki kuzyn, którego pewnej nocy przywieziono do jej domu z pytaniem, czy zaopiekuje się sześciolatkiem na jakiś czas.

Nie namyślając się wiele, objęła słaniające się ze zmęczenia dziecko i zaprowadziła do łóżka. „Jakiś czas" trwał już dwa lata.

Chłopiec był dobrym dzieciakiem. Pomagał w domu, nie psocił. Uczył się dobrze. Garnął się do książek, które wręcz pochłaniał w niesamowitych ilościach. Anastazja z początku podejrzewała, że przerzuca kartki, szukając ilustracji, ale nie: potrafił powtórzyć treść niemal słowo w słowo. Miał fenomenalną pamięć. Jedynie z miejscowymi dziećmi nie mógł dojść do ładu. Co i rusz przychodził pobity czy sponiewierany. Co i rusz sąsiadki urządzały Anastazji awantury o tak potraktowanych synów. Co i rusz nauczycielka wzywała opiekunkę chłopca do szkoły, by wyrazić z jednej strony zachwyt jego pilnością i dobrymi wynikami w nauce, z drugiej głębokie zaniepokojenie jego wyobcowaniem. Czasem Anastazja wzywana była przez dyrektora, który z udawanym lub szczerym smutkiem oznajmiał, że musi zawiesić Alka w prawach ucznia na tydzień czy miesiąc, bo ten pobił... tu padało imię któregoś z prześladowców.

I Alek, patrząc na ciotkę wilkiem, wracał do domu. Z podbitym okiem, rozciętą wargą, podartą kurtką.

– Oni zaczęli – warczał, gdy pytała, jak to się stało.

– Zawsze zaczynają oni! – krzyczała, tracąc cierpliwość, choć w jej głosie uważny słuchacz znalazłby rozpacz. Kochała chłopca jak własnego syna i pragnęła dla niego lepszej przyszłości niż sama miała – ruska dziewczyna wśród nienawidzących tej nacji Polaków.

– Bo tak jest! – krzyczał chłopiec. – Ja próbuję trzymać się z dala, ale nie mogę całkiem zniknąć! – Tu zawsze głos mu się łamał i żeby nie widziała łez w jego oczach, uciekał na górkę, do swojego pokoju, by tam rzucić się na łóżko, tłuc pięścią w poduszkę i płakać.

Anastazja zaś, zupełnie bezsilna, łapała woreczek z mąką, z cukrem, ciskała do dzieży masło, lała mleko, kruszyła drożdże, a potem z pasją ugniatała ciasto. Gdy zaczynało pachnieć w całym domu, szła na górę, pukała do pokoju chłopca i mówiła cicho:

– Zejdź, Aluś, na podwieczorek.

– Nie gniewasz się? – Padało pytanie z drugiej strony zamkniętych drzwi.

– Nie gniewam.

Samotność przybranego syna bardzo Anastazję bolała. Pojawienie się w ich życiu małej Lili, osieroconej przez matkę córeczki sąsiada, kobieta przyjęła niczym uśmiech losu. Ze względu na Alka, który wreszcie miał z kim się bawić, i ze względu na siebie, której Lila przypominała własne utracone dziecko.

Teraz, siedząc na kocu, plotła wianek dla dziewczynki, jednocześnie mając oko na Alka dokazującego po drugiej stronie Zagrodzianki. Znała porywczy charakter Borowego, znała jego niechęć do córki i nienawiść do „Ruskich", od początku wiedziała, że z tej przyjaźni: Aleksieja i Liliany, będą kłopoty, lecz kłopoty są zawsze, bez względu na to, czy ich szukasz, czy unikasz. Większe, mniejsze, ale są. Anastazja mogła tylko ostrzegać przybranego syna przed tym mężczyzną i opatrywać rany, gdy Aleksiej wchodził mu w drogę. Jednak ani ona, ani chłopiec nawet nie myśleli, by garnącej się do nich dziewczynce powiedzieć: „Idź sobie. Nie chcemy cię już". Potrzebowali Lili tak, jak ona potrzebowała ich.

Mała podniosła właśnie na kobietę oczy barwy płatka niezapominajki.

– Ciociu, co będzie, gdy Alek wyjedzie? – zapytała, a usta już zaczynały jej drżeć. Strasznie bała się samotności po tym, jak przez parę ostatnich tygodni miała przyjaciela i zastępczą mamę.

– A gdzież miałby wyjechać? – zdziwiła się Anastazja. – Nigdzie się nie wybiera!

– Do tego miejsca, gdzie są kraty w oknach – odparła dziewczynka cicho.

Anastazja zesztywniała od stóp do głów.

– Coś ty powiedziała, dziecko? – zapytała powoli, czując jak śmiertelne zimno chwyta jej serce w kleszcze. – Skąd to wiesz? Twój ojciec coś mówił?

Lila pokręciła głową.

– W-w-widziała-a-am Aleksieja w takim p-p-pokoju. B-było tam dużo innych chło-opców. I nawet b-było w-w-esoło-o, tylko te kr-kr-kraty... Czy Alek będzie szczęśliwy w tym m-m-miejscu?

– Dziecko, nie chcę o tym słyszeć! – Anastazja podniosła głos. – Aleksiej nigdzie nie pojedzie! Dość już tych bzdur, muszę do domu wracać, gospodarką się zająć. – Odepchnęła lekko dziewczynkę, wyswobadzając kolana, wstała i ruszyła w kierunku wsi. Wiedziała, że sprawia małej ból, ale jej słowa przeraziły kobietę nie na żarty. – Aleksiej! – zawołała przez ramię. – Do domu! Do domu, mówię! – powtórzyła głosem nieznoszącym sprzeciwu, gdy – jak to dziecko – próbował protestować.

Lila odprowadziła oboje oczami pełnymi łez.

Nie rozumiała, co takiego złego powiedziała, że ciocia ją odepchnęła, musiała jednak zrozumieć, co to za miejsce, do którego miał trafić Aleksiej. I które tak bardzo przeraziło Anastazję.

– Miejsce, gdzie zamyka się chłopców? Z kratami w oknach? – Ciotka Marysia, mieląca mięso na kotlety, bez ciekawości spojrzała na przybraną córkę. – To poprawczak. Więzienie dla młodocianych przestępców. Skąd ci to przyszło do głowy?

– Ten jej Rusek niedługo tam trafi – mruknęła Elżunia, siedząc przy stole nad wycinanką.

– On nie jest R-r-r-u-u...

– R-r-r-u-u... – Starsza dziewczynka skrzywiła się ironicznie.

– Bądź cicho. – Maria ofuknęła córkę. – Lila, gdy zacznie się rok szkolny i będę miała trochę więcej czasu, zabiorę cię do logopedy. Choćby Stachu się sprzeciwiał. Chore dziecko trzeba leczyć – ot, co!

– Nie jestem cho-o-ora, c-c-ciociu – sprzeciwiła się Lila cichutko.

– Jesteś cho-o-o-ra – wtrąciła złośliwie jej siostra.

– Dosyć! Mówiłam, żebyś jej nie przedrzeźniała! – Maria rozgniewała się. Nie lubiła, gdy jej rodzone dziecko pokazywało charakterek gorszy niż to przysposobione. – Zabieraj się z tym do swojego pokoju, stół mi będzie potrzebny, a ty, Lila, idź się pobawić. Nie mam czasu na czcze gadaniny. – Machnęła ścierką i wróciła do mielenia.

Lila pobiegła do sadu, przecisnęła się przez dziurę w płocie, łąkami okrążyła wieś, by wreszcie stanąć przed furtką domu Anastazji i Aleksieja.

Zapadał wieczór. Małe dziecko nie powinno o tej porze włóczyć się samo po dworze.

Lila cichutko odemknęła furtkę, pogłaskała łaszącego się do jej nóg pieska-przybłędę, obeszła dom i zadarła głowę, patrząc w okno pokoju na piętrze, gdzie już paliło się światło. Widać Aleksiej czytał jedną ze swoich ukochanych książek.

Dziewczynka pochyliła się, znalazła kamień i z całej siły cisnęła w szybkę tak, jak czynił to Alek. Ona jednak nie była Alkiem. Nie wiedziała, że w jej okno rzucał kamykami, nie kamieniami. Szybka pękła. Odłamki spadły niemal na głowę dziewczynki. Ta patrzyła przez chwilę na dzieło zniszczenia, po czym czmychnęła w krzaki bzu.

– Ej, kto tu? – Usłyszała głos Alka.

– Co się dzieje? – I głos Anastazji. A parę chwil później: – Co ty wyprawiasz?! – Kobieta widać dotarła już na piętro.

– To nie ja! Ktoś rzucił kamieniem!

– To łobuz... – Anastazja westchnęła ciężko. – Znów szklarz zarobi trochę grosza. Będę musiała sprzedać koguta. Co za los...

Lila odczekała, aż głosy ucichną i zaczęła pełznąć w tył, nie bacząc na gałęzie chłoszczące ją po głowie i plecach.

„Rozbiję świnkę i zapłacę za szybę" – myślała przy tym zmartwiona zarówno szkodą, jakiej się dopuściła, jak i losem koguta, którego lubiła. Jak zresztą całą menażerię Anastazji. Lilipucie kurki, śmieszne kaczki kołyszące się na boki przy każdym kroku, pieska Dzwoneczka, który zamiast odstraszać łobuzów, łasił się do każdego przechodnia. „Nie do każdego" – mruczał Aleksiej, gdy Lila o tym mówiła. – „Umie rozpoznać, kto swój, kto wróg". Kot Czarny był biały jak mleko, a oczy miał niebieskie jak oczy Lili. Jego też lubiła. No i jeszcze starą jak świat krowę, która nie dawała za wiele mleka, za to łagodnym spojrzeniem dużych czarnych oczu i cichym muczeniem potrafiła rozbroić właścicielkę. Anastazja ani myślała prowadzić ją do rzeźni. Tak, Lila nie darowałaby sobie, gdyby przez nią któremuś zwierzęciu stała się krzywda.

Wygramoliwszy się z krzaków, puściła się biegiem przez łączkę za domem, mimo że ciemno się już zrobiło i... tylko pisnęła, gdy nogi straciły grunt. Sekundę później leżała na plecach dwa metry niżej, patrząc zszokowanymi oczami w granatowe niebo nad głową.

Bolała ją głowa, bolały plecy i noga, która podwinęła się podczas upadku, ale nie to wycisnęło łzy z oczu dziewczynki, gdy w końcu wstała i próbowała się wydostać z głębokiego dołu. Nie było o tym mowy. Nie sięgała nawet do połowy wysokości. Podskakiwała jak wróbel, mimo bolącej nogi, próbując sięgnąć wystającego korzenia, ale poddała się po kilku próbach.

Usiadła na dnie wykopu, podwinęła kolanka, oplotła je rękami, bo zimno zaczęło przenikać dziewczynkę na wskroś i zaczęła cicho wołać imię przyjaciela. Tak cicho, by usłyszał ją Aleksiej, a nie jego ciotka.

Nie on, ale Dzwoneczek przyszedł najpierw Lili z pomocą. Podbiegł zaaferowany na skraj wykopu, zaskomlał i nim mała zdążyła go zawołać – zniknął. Chwilę później usłyszała cichy głos Aleksieja.

– No, co jest, piesku? *Kuda ty mnie wiedziosz?*

– Aleksiej, Aluś, tu jestem! Tutaj, w dole! – krzyknęła dziewczynka.

Chłopiec rzucił się w stronę jej głosu. Chwilę później leżał na brzuchu, próbując sięgnąć wyciągniętej rączki i nie wpaść samemu. Tego by sobie nie darował. Nawet nie ze względu na ciotkę, która nie byłaby zadowolona z nocnej eskapady, a ze względu na swoją dumę. Aleksiej Dragonow potrafił radzić sobie sam!

Wreszcie Lila podskoczyła wyżej, on nachylił się tak, że niemal wpadł, i w końcu chwycił dziewczynkę. Szarpnął w górę, zaparł się nogami, pociągnął jeszcze trochę i Lila wylądowała szczęśliwie obok swego wybawiciela.

Leżeli na plecach ramię w ramię, łapczywie chwytając oddech. Niebo nad ich głowami rozsrebrzyło się od gwiazd. Jeszcze parę chwil oboje chłonęli ten wspaniały widok, wreszcie Aleksiej przerwał ciszę:

– To ty zbiłaś szybę.

Lila spojrzała na przyjaciela ze skruchą.

– Rozbiję świnkę. Zapłacę cioci, tylko niech nie sprzedaje koguta...

– Dlaczego to zrobiłaś? Zła jesteś na mnie?

– Nie, Aluś! Ja chciałam zapukać, tak jak ty pukasz do mnie! Tylko kamień był za duży.

– I po to przybiegłaś nocą?

Mała pokręciła głową.

– Chciałam ci powiedzieć, żebyś nie szedł do więzienia. Tam jest dużo chłopców i nawet jest wesoło, ale są kraty w oknach, a ty nie znosisz krat.

Tak, widziała, jak kiedyś przyjaciel uwolnił zamkniętego w małej klateczce psiaka, którego ktoś sprzedawał na targu. Aleksiej mruknął przy tym: „Nienawidzę krat", a Lila to zapamiętała.

– Nie wybieram się do więzienia. – Patrzył teraz na dziewczynkę ze zdumieniem. – A jeśli nawet kiedyś tam trafię, to ucieknę.

To małej wystarczyło. Odszukała w ciemnościach jego dłoń i zacisnęła paluszki na jego palcach.

– Chodź, Lilou, odprowadzę cię do domu, żebyś znów do dołu na szambo nie wpadła. Całe szczęście, że nie do szamba, bo byłoby po tobie.

Pospieszyli tą samą drogą, którą przyszła Lila: przez łąki, okrążając wieś, do sadu, dziurą w płocie, pod drzwi do domu dziewczynki. Dopiero teraz, słysząc wewnątrz podniesione głosy, zaczęła się bać. Spojrzała na Aleksieja pociemniałymi ze strachu oczami, ale chłopiec nie mógł jej pomóc. Nie tym razem. Nacisnął klamkę i pchnął lekko dziewczynkę do środka.

Sam zniknął jak duch. Jego obecność tylko by Borowego rozsierdziła jeszcze bardziej. Skulił się pod oknem i ostrożnie zajrzał do środka.

Mężczyzna patrzył przez chwilę na Lilę oczami nabiegłymi krwią, a potem... Aleksiej zacisnął pięści i odwrócił głowę, ale nawet jeśli zatkałby uszy, słyszałby skomlenie dziewczynki, przekleństwa Borowego i krzyki jego żony. Nagle wszystko umilkło. Aleksiej znów zajrzał do środka, mając nadzieję, że stary się opanował.

Nie. Pochylał się nad leżącym pod ścianą dzieckiem. Aleksiej wstrzymał oddech.

Borowy, pobladły na twarzy, uniósł lejące się przez ręce ciało dziewczynki. Potrząsnął nią lekko. Jej głowa opadła bezwładnie. Srebrzyste włoski poczerwieniały od krwi.

– Lilka, ej, dziecko, ocknij się! – Poklepał małą po policzku.

Maria przyskoczyła do Lilki z drugiej strony i nagle krzyknęła histerycznie:

– Zabiłeś ją! Zabiłeś, ty bydlaku! Pójdziesz siedzieć! Zabiłeś własne dziecko!

– Lila, dzieciaku, spójrz na tatę... – Głos Borowego zadrżał.

Aleksiej nie mógł się temu dłużej przyglądać. Obiegł dom, wpadł do środka i przyklęknął obok dziewczynki. Borowy posłał mu spojrzenie pełne nienawiści. Ale i nadziei. „Ratuj ją, a potem... niech się dzieje co chce" – mówiły oczy mężczyzny.

Chłopiec przytknął ucho do piersi dziecka. W izbie zapadła cisza.

– Żyje – mruknął. – Dajcie wody, zamiast tak sterczeć – rzucił do kobiety.

Gdy dostał pełną szklankę, wyjął z kieszeni chustkę, namoczył i delikatnie przetarł twarz nieprzytomnej. Powieki zadrżały leciutko. Wycisnął parę kropli na usta dziewczynki i znów otarł jej buzię.

– Lilou, otwórz oczy – poprosił szeptem.

Westchnęła ciężko, jak przez sen.

– Wezwijcie pogotowie, na co czekacie?! – krzyknął na Borowego, ten jednak wzruszył ramionami.

– Nic jej nie będzie.

Lila, jakby na potwierdzenie tych słów, uniosła powieki i powiodła półprzytomnym spojrzeniem dookoła. Poznając Aleksieja, spróbowała się uśmiechnąć, ale jęknęła tylko żałośnie.

Maria wzięła ją na ręce i zniknęła za drzwiami, posyłając mężowi miażdżące spojrzenie. Przyczajona do tej pory pod łóżkiem Elżunia poszła w jej ślady.

W kuchni zostali tylko we dwóch: Borowy i Aleksiej. Patrzyli na siebie długą chwilę. W oczach mężczyzny nie było ni krzty wdzięczności. Została tylko nienawiść. Ta sama, co płonęła w spojrzeniu chłopca.

– Jeszcze raz zrobisz jej coś takiego i...

– I co, gnoju? – Borowy podniósł się. Był wysoki i zwalisty. Górował nad dzieckiem o parę głów. Mimo to Aleksiej spojrzał mu bez strachu prosto w twarz.

– Dopadnę cię we śnie. I zarżnę jak świniaka.

– Oż ty, ruski skurwysynu!! – zawył mężczyzna i wyciągnął ręce, by pochwycić chłopca, ale ten odskoczył pod drzwi.

– Pamiętaj, że ostrzegałem. Jeszcze raz uderzysz Lilkę i zarżnę cię we śnie.

Stołek przeleciał przez kuchnię i roztrzaskał się tuż obok głowy Aleksieja. Ten spojrzał na Borowego z drwiącym uśmiechem, co tamtego doprowadziło do białej gorączki. Rozejrzał się w zaślepieniu dookoła i chwycił pogrzebacz, by dopaść gówniarza, ale... kuchnia była pusta. Zza drzwi doleciał tylko jego głos:

– Pamiętaj, panie Borowy, o mojej obietnicy!

I Borowy zapamiętał. Rusek był zdolny do wszystkiego, on, Borowy, spać musiał, a zamiast Lilki mógł prać żonę.

Bicie na jakiś czas się skończyło. Nie wiedziałam, że to zasługa Aleksieja. Myślałam – chciałam tak myśleć – że ojciec sam z siebie, bojąc się o mnie, zaczął nad sobą panować. Może mnie nawet pokochał?

Wyprowadziła mnie z tego błędu usłużna Elżunia, która po następnej awanturze, gdy dostało się tym razem jej i ciotce Marii, wykrzyczała, że „to przez twojego obrońcę, tego brudnego Ruska! Ojciec ciebie nie tknie, bo mu bandzior gardło obiecał poderżnąć i na nas się teraz wyżywa! Żeby cię szlag trafił, przybłędo! Ciebie i tego bękarta!". Nie wiedziałam, co to jest „szlag" i trochę się bałam Elżuni i jej zemsty za bicie, które dostałabym ja, ale... Ale strup na głowie jeszcze nosiłam, a Aleksieja od tamtej pory nie widziałam. Teraz, pewna, że ojciec nic mi nie zrobi, mogłam do niego pobiec, wywołać go na dwór, a gdy zszedł, rzucić mu się na szyję i zawisnąć całym ciężarem. I nim się wyswobodził, zażenowany, cmoknąć go w policzek, a nawet w oba.

Aleksiej poszedł do szkoły. Lila czekała na niego całymi dniami, plącząc się ciotce pod nogami, aż ta pozbywała się małej z domu pod byle pretekstem. Teraz, gdy i Elżunia co dzień wychodziła o świcie, a wracała po południu – była z Aleksiejem w jednej klasie, co nie znaczy, że się przyjaźnili, o, co to, to nie! – żona Borowego mogła odpocząć po trudnych letnich miesiącach wypełnionych pracą przy żniwach. Nie miała zamiaru rezygnować z wolnych chwil na rzecz sieroty, którą dostała razem z mężem. Lubiła Lilę, dziecko nie sprawiało kłopotów, jednak bardziej lubiła plotki z sąsiadkami.

– Słyszała pani? Ta spod lasu, Anastazja, myśli się wyprowadzić. – Sąsiadka zniżyła głos. – Zwija gospodarstwo, zabiera tego swojego przybłędę i idzie szukać szczęścia gdzie indziej. Tu widać chłopa nie znalazła.

– Ciiiszej, Jaworowa, dziecko słucha. – Maria odwróciła się do dziewczynki, budującej w kącie dom z klocków, która zastygła w bezruchu, patrząc na obie kobiety wielkimi, przerażonymi oczyma.

– Niech słucha. A na waszym miejscu, sąsiadko, pilnowałabym małej, bo kto to słyszał, żeby dziewczynka z chłopaczyskiem całymi dniami się włóczyła. Z ruskim do tego.

– Pilnujcie lepiej swojego Antka, bo kraść zaczyna! – odgryzła się Maria i jak kobiety nie zaczną się kłócić…

Lilka nie słuchała dalszego ciągu. Wymknęła się po swojemu, cicho jak duch, i pobiegła prosto do domu Anastazji.

Kobieta akurat karmiła prosiaka, co to tuczyła go na Boże Narodzenie. Do wiadra wlała mleka, sypnęła parę garści ospy, dorzuciła ciętych pokrzyw i mieszała to ręką zanurzoną po łokieć w szarozielonej brei. Lila wpadła do komórki z policzkami czerwonymi od pośpiechu i łez. Anastazja podniosła się powoli, a dziewczynka przylgnęła do niej, szepcząc błagalnie:

– Ciociu, nie wyjeżdżaj, nie zostawiaj mnie samej! Ciociu, proszę, nie wyjeżdżaj...

Kobieta westchnęła. Plotki rozchodziły się szybko. Wystarczy, że popytała to tego, to owego, czy inwentarza by nie odkupił, by zaraz wyciągnięto wnioski, że się wyprowadza.

– Słuchaj, Lila, krowę chcę sprzedać i może prosiaka też, ot, co. A ludziska od razu jęzorami pytlują... – odrzekła uspokajającym tonem, nie mogąc odsunąć dziewczynki na bok, bo ręce miała utytłane karmą dla świni.

– Twój nowy domek jest piękny, nie to, co tutaj. – Lila nieprzytomnym wzrokiem potoczyła dookoła. – Ale jest tak daleko... Za górami, za lasami... Nie będę was mogła odwiedzać! Ciociu, nie wyprowadzaj się! Nie odbieraj mi przyjaciela!

Anastazja przyglądała się dziewczynce z mieszaniną ciekawości i lęku. Dziewczynka miała widać dar jasnowidzenia, bo skąd mogła wiedzieć o domku za górami, za lasami? Nawet Aleksiejowi nic jeszcze o tym miejscu nie wspominała. Jeśli jednak Lila widziała Nadzieję, to wizja Alka w poprawczaku też była prawdziwa... Anastazja ponownie poczuła tamten strach. I niechęć do

Bogu ducha winnego dziecka. Odepchnęła je szorstko, tak jak poprzednim razem.

– Nigdzie się na razie nie wybieram. Wracaj do domu, niech ci matka obiad poda, bo zabiedzona jesteś.

Tak zbywszy dziewczynkę, poczuła wyrzuty sumienia, ale... nie chciała, by Aleksiej dowiedział się o małym domku przedwcześnie. Zwłaszcza, że dla niego była to nie tylko przeprowadzka do innego miejsca, lecz i zmiana szkoły na... być może jeszcze gorszą niż ta obecna.

– Jeśli dochowasz tajemnicy... – zaczęła, widząc, że dziewczynka nadal stoi w progu, wgapiając się w nią wielkimi, wilgotnymi oczyma – ...opowiem ci o tym miejscu, gdzie czeka mały domek ze stromym dachem.

– Dochowam! – Lila jednym skokiem była z powrotem przy niej. Nie bacząc na pobrudzone ręce kobiety, już wdrapywała się na kolana, przytulając policzek do jej piersi. – Aleksiejowi też nie mogę powiedzieć? – Spojrzała jeszcze pytająco w górę.

Anastazja pokręciła głową.

– Nie możesz, dopóki ja mu nie powiem. Byłoby to nie w porządku, że najpierw opowiadam tobie, a nie mojemu synowi, prawda?

Lila musiała się zgodzić.

– Otóż... – Anastazja przymknęła oczy, by przywołać ze wspomnień obraz rodzinnego domu. – Za lasami, za górami jest polanka, do której drogę znają tylko nieliczni. Stoi na niej mała chatka z modrzewia. Wiesz, co to modrzew? Takie drzewo, co na zimę gubi igły. Ma grube ściany, ta chatka, które zimą chronią przed mrozem, i wysoki, spadzisty dach, na którym śnieg nie uleży długo. Okna zamykane są na solidne okiennice, żeby wicher nie dostał się do środka. Tak jest zimą, za to latem... – Anastazja umilkła, rozmarzyła się. – Latem polana kwitnie wszystkimi kolorami, strumień, który opływa ją niemal dookoła, śpiewa wesołe piosenki, a jodły – tak wielkie, jakich nigdy nie widziałaś – szumią grzecznym dzieciom bajki na dobranoc. Bo cały ten domek jest jak z bajki.

– Zabierz mnie tam, ciociu! – poprosiła Lila gorąco. – Będziemy mieszkać w domku z bajki we troje: ty, ja i Aleksiej...

– Masz przecież swój dom. Tata cię z nami nie puści – zauważyła Anastazja.

Dziewczynka posmutniała. Tata rzeczywiście nie pozwoli jej odejść. A na pewno nie z Aleksiejem. Zeskoczyła z kolan kobiety i zwieszając ramionka, powlokła się do domu. Domu, stojącego na końcu wsi, przy zakurzonej drodze, gdzie nie było strumyka śpiewającego piosenki ani jodeł szumiących bajki do snu. Był niekochający ojciec, niechętna macocha i nienawidząca siostra.

A jednak trafiłam do bajkowego domku szybciej, niż ktokolwiek mógł przypuszczać. I jest to chyba najpiękniejsze wspomnienie z mojego – nie najweselszego przecież – dzieciństwa.

Ojciec Lili po pijanemu wpadł pod samochód – samochód sąsiada, pijanego tak samo jak Stach Borowy. Policji więc nie wezwano, za to rannego żona zawiozła do szpitala, gdzie okazało się, że to nie tylko parę siniaków i złamana ręka, ale i krwotok wewnętrzny. Pacjent trafił na stół operacyjny, a jego żona musiała wrócić do domu, gdzie czekały przerażone dzieci.

Po północy dostała przez sołtysa wiadomość, że Borowy będzie żył, a w szpitalu musi zostać na tydzień czy dwa.

Maria była twardą kobietą, wychowaną na wsi. Jednak życia tutaj, w Zagrodzinie, u boku brutala, którego kochała coraz mniej, a bała się coraz bardziej, miała dosyć. W jej domu rządziła matka i nikt nie śmiał podnieść na nią ręki czy choćby głosu. Ojciec był pracowity i potulny, pił rzadko, a jeśli już – matka zamykała go w komórce, gdzie miał swój barłóg, żeby wstydu rodzinie nie przyniósł.

Zamknąć w komórce Stacha? – Maria zaśmiała się do siebie smutno. – Nie za takiego chłopa wychodziła. Przed ślubem, zabiegając o jej rękę, przychodził w odprasowanych koszulach, czystych spodniach, gładko ogolony i pachnący wodą kolońską. Było się do kogo przytulić. Gdy dostał na Marię urzędowy glejt, rzucał koszule pod siebie, golił się raz w tygodniu, w niedzielę, a wodę kolońską dawno wypił. – Tak sobie kobieta myślała, siedząc przy stole w pustej, ciemnej kuchni, która – choćby nie wiem jak ją pucowała – po latach zapuszczenia wyglądała na brudną, aż wstyd przed sąsiadkami było i rzadko kogoś do domu zapraszała.

Od śmierci pierwszej żony Borowego dom popadał w ruinę, wdowiec dbał o niego akurat tak, jak o dziecko, jakie mu nieboszczka zostawiła. To też była dziwna sprawa, że pierwszą żonę kochał, a dziecka nienawidził... Niedługo znienawidzi i ją, Marię, i Elżunię, bo ostatnimi czasy chodził i szukał kozła ofiarnego, którym mógłby – w zastępstwie Lili – poniewierać.

O nie. Nic Marii tutaj nie trzyma. Ślub cywilny to żaden ślub. Jeśli Borowy chce mieć bezpłatną sprzątaczkę, kucharkę i kochankę, musi o to pozabiegać, teraz jest okazja, by zatęsknił za porządną obsługą.

Maria zerwała się z miejsca jak ukłuta w pośladek, pobiegła na strych, po walizki i gorączkowo zaczęła pakować rzeczy swoje i córki.

Córki...?! A co z tą drugą?

Ręka z koszulą Elżuni opadła. Ona sama, z własnym dzieckiem, może odejść, ale sieroty w pustym domu nie zostawi przecież. A zabrać ze sobą też nie zabierze. Maria jęknęła. Kto zaopiekuje się na ten tydzień czy dwa dzieckiem? Do tego takim dzieckiem? Jąkałą, której inne nie tolerują? Przyjaciółką ruskiego chłopaka?

Anastazja! Tak, ona nie odmówi! Lubi małą, nie pozwoli, by stała się dziewczynce krzywda, zrozumie, że Maria zabrać Lili ze sobą nie może i...

Kobieta już pukała do drzwi starego domu, ostatniego we wsi. Już wyrzucała z siebie potok słów, z którego Anastazja zrozumiała to, co miała zrozumieć. Zmrużyła czarne oczy, aż Maria Borowa umilkła, przejęta nagłym strachem, i odrzekła:

– Jak pewnie wiecie, pani Borowa, ja również wyjeżdżam. Jeszcze nie na zawsze, ale parę spraw urzędowych muszę załatwić…

– Dziecko wam w tym nie przeszkodzi! To cicha, posłuszna dziewczynka!

„Wiem" – pomyślała Anastazja. – „Znam ją być może lepiej od ciebie". Na głos zaś powiedziała:

– Jadę daleko stąd…

– Dam wam pieniądze! I na podróż dla Lili, i na utrzymanie przez dwa tygodnie. Potem powinien wyjść Stach i zajmie się dziewczyną. Pani Anastazjo, bardzo proszę… Mam autobus za godzinę, a jeszcze Elżunia niespakowana.

Maria ujęła dłoń kobiety i wcisnęła w nią kilka banknotów.

– To wszystko, co mogę dać. Za resztę muszę dotrzeć do swoich.

Anastazja w pierwszej chwili chciała odrzucić pieniądze, ale… honorem dwojga dzieci nie nakarmi. Lilą zajęłaby się za darmo, jednak Marii Borowej pomagać za darmo nie będzie.

– Dobrze. Wracajcie do pakowania. Ja przyjdę po dziecko, gdy tylko sama się ogarnę.

Maria podziękowała wylewnie, odwróciła się na pięcie i znikła, nim Anastazja zdążyła się rozmyślić. Szybko dokończyła pakowanie, wślizgnęła się do małżeńskiej sypialni, gdzie w nocy położyła zmęczone, przerażone dzieci, po cichu zbudziła Elżunię i nie patrząc na śpiącą obok, ze śladami łez na policzkach Lilę, wymknęły się obie. Kwadrans później stały na przystanku pekaesu.

Maria targana wyrzutami sumienia, jej córka mściwie uśmiechnięta.

– A jak ktoś włamie się do domu i Lilkę porwie? – zapytała od niechcenia Elżunia.

Kobieta, sprawdzająca w torebce, czy zabrała dokumenty, zamarła.

– Nie pleć głupot, bo ci przyleję!

Ręce zaczęły jej drżeć. Zostawiła śpiące dziecko samo, nie uprzedziła małej, że wyjeżdża. Jeśli Lila obudzi się, nim przyjdzie po nią Anastazja... Już chwytała ucho walizki, by wracać do wsi w te pędy, gdy zza zakrętu wytoczył się autobus. Elżunia, nie oglądając się na matkę, wskoczyła po prostu do środka. Maria nie miała innego wyjścia, jak ruszyć za nią. Obiecała sobie, że gdy tylko będą na miejscu, zadzwoni do sołtysa, ale gdy autobus ruszył, Lila szybko wyleciała kobiecie z głowy. Nigdy nie kochała tego dziecka. Miała swoje własne. To wystarczy.

Minęło tyle lat, tyle przebudzeń, a ja do dziś pamiętam dotyk dłoni, ciepłej, czułej, budzącej mnie w tamten ranek. Nikt przedtem tak mnie nie gładził po policzku. Długo więc udawałam, że śpię, poznając po zapachu rumianku, że to ciocia Anastazja. Pamiętam promienie słońca przeświecające przez zamknięte powieki. Ciepło kołdry otulającej moje ramiona – ciasno, bezpiecznie. I ten pieszczotliwy dotyk dłoni...

– No, wstawaj, malutka – szepnęła ciocia, a czar, zamiast prysnąć, trwał dalej.

Anastazja umyła buzię i rączki zachwyconej dziewczynce, podskakującej z podekscytowania niczym wróbel, uczesała włosy w dwa warkoczyki, nałożyła sukienkę i rajstopki, po czym spakowała do niewielkiej torby podróżnej parę ciuszków na ten tydzień i były gotowe do drogi.

Najpierw jednak musiały wrócić do domu Anastazji, gdzie czekał na nie z walizkami Aleksiej. On również miał oczy jeszcze większe i ciemniejsze niż zazwyczaj. Też nie mógł się doczekać podróży.

Ciotka, gdy chodziło o domek z bajki, była wyjątkowo powściągliwa w słowach. Do tej pory nie wyjawiła dzieciom, gdzie ta chatka stoi, czy w górach, czy nad morzem...

– A może w Warszawie? – zgadywała Lila. Warszawa była najodleglejszym miejscem, jakie mogła sobie wyobrazić. Jedynie świat, który swego czasu Aleksiej jej pokazał i zaraz schrupał, zdawał się być jeszcze dalej.

– W Warszawie, głuptaku, nie ma starych chałup. Są wieżowce i Pałac Kultury – wyjaśnił chłopiec. Nagle sam się zaniepokoił. Spojrzał pytająco na ciotkę siedzącą obok. – Nie jedziemy do Warszawy, prawda?

Pekaes wspinał się właśnie drogą prowadzącą pod górę. Do tej pory wiła się między lasami niczym zagubiona wstążka.

– Nie, synku – odparła kobieta uspokajająco i oddała się dalszym rozmyślaniom.

Dzieci musiały zająć się same sobą. Lila wyglądała przez okno autobusu, co jakiś czas wykrzykując w oczarowaniu:

– Rzeczka, patrz, Aluś, rzeczka z wodospadem! O, jakiś lasek! I pies! Kto zaopiekuje się Dzwoneczkiem przez ten czas?

Aleksiej coś jej tam odpowiadał. I tak mijała podróż w nieznane – bo Anastazja także nie wiedziała, co ich czeka na końcu drogi. Rodzinny dom odebrano jej dawno temu. Teraz ta osoba zmarła i chatka w górach wróciła w jej, Anastazji ręce. Należało jedynie dopełnić formalności spadkowych – po to tu dziś jechała. Dzieci zostawi w domu – o ile dom nadaje się do zamieszkania – a sama pojeździ po nowosądeckich urzędach. Pekaes właśnie zatrzymywał się na rynku, gdzie mieli przesiąść się w następny.

Dzieci wyskoczyły pierwsze, rozglądając się ciekawie dookoła.

– To są wieżowce? – zapytała Lila, patrząc na okalające rynek kamieniczki.

Aleksiej parsknął tylko kpiąco, Anastazja zaś obdzieliła ich bagażami i zabrała do baru mlecznego na obiad. Po godzinie dzieci nasycone leniwymi z masłem i cukrem ledwie doczłapały z powrotem na przystanek.

Ich autobus już czekał. Czekała też dalsza droga, z każdą minutą przybliżająca całą trójkę do domku na polanie.

Wysiedli na końcu trasy. Autobus zawrócił, drzwi otworzyły się, a kierowca pożegnał ostatnich pasażerów mruknięciem i skinieniem głowy.

Furka, zaprzężona w niedużego kasztanowego konika o krótkich, grubych nogach, gęstej grzywie i ogonie, który od razu wzbudził u dzieci okrzyki zachwytu, już czekała. Wgramolili się na górę, ciocia siadła obok woźnicy, równie mrukliwego co kierowca i… ruszyli.

Brukowana droga wiodła pod górę, w las. W prastarą jodłową puszczę. Lila nigdy przedtem nie widziała tak olbrzymich drzew. Umilkła porażona ich majestatem i pięknem. Ucichł też Aleksiej. Tylko ciocia z woźnicą prowadzili przyciszoną rozmowę. Kobieta wypytywała o najbliższy sklep, sąsiadów, u których na początku może kupować mleko, masło, sery, wędliny, chleb. A, jeszcze i ziemniaki. Jajka od domowych kur też by się przecież przydały.

Starszy człowiek z pewną dozą nieufności dzielił się z nią tymi informacjami. Pamiętał Anastazję, jak mieszkała jeszcze w Nadziei, ale od tego czasu sporo wody w rzeczce, którą właśnie mijali, upłynęło. Świat się zmienia, ludzie się zmieniają…

Skręcili w las. Droga wiła się teraz wzdłuż strumienia, który skacząc z kamienia na kamień, śmiał się do zachwyconych dzieci. Tak właśnie opowiadała ciocia! Roześmiany strumyk i drzewa szumiące bajki na dobranoc! Lila zaczęła podskakiwać na dnie furki, trzymając się obiema rękami drabiny z boku. Aleksiej chwycił ją za rąbek płaszczyka, żeby nie wypadła.

Wreszcie woźnica ściągnął lejce. Konik parsknął i stanął, grzebiąc kopytem.

– Dali pójdyta na piechte. – Mężczyzna wskazał batem wąską dróżkę, która odchodziła od ubitego traktu.

Dzieci zeskoczyły na ziemię, ciocia podała każdemu jego bagaż, sama ujęła walizkę, wcisnęła chłopu parę groszy, choć od sąsiadki nie chciał przyjąć, i po chwili zostali sami. Każde patrzyło na dróżkę znikającą za zakrętem w mroku puszczy i bało się wykonać pierwszy krok – nie, nie dlatego, że las nie zachęcał do wędrówki, ale dla każdego z tej trójki to, co czekało na końcu drogi, znaczyło co innego.

Dla Lili był to domek z bajki, dla Aleksieja prawdziwy dom, jego własny, gdzie nikt nie będzie rzucał kamieniami w okno – tak mu przyrzekła ciotka. Dla samej Anastazji był to zarówno powrót do szczęśliwego dzieciństwa, jak i goryczy tułaczki po obcych. Także nadzieja na lepszą przyszłość.

– No, chodźcie. Nie będziemy tu tkwić do wieczora. – Silniej ujęła rączkę walizki i ruszyła zaczarowaną dróżką. Dzieciaki, nie namyślając się dłużej, pobiegły za nią, wyprzedziły opiekunkę i już gnały, z torbami obijającymi się o nogi, ścigając się, które pierwsze dotrze do domu.

Wygrał oczywiście chłopiec. Lila wybiegła na polanę tuż za nim. Zziajana, ale szczęśliwa.

Oboje upuścili bagaże i... stali w nabożnym milczeniu, chłonąc obraz domku, który wyrósł – tak właśnie: nie został zbudowany, bo na pewno nie był dziełem ludzkich rąk, a wyrósł tu razem z pierwszą jodłą – pośrodku niewielkiej leśnej łąki.

Pierwsze, co uderzało w tym miejscu, to niczym niezmącona cisza.

Dzień był bezwietrzny, jodły więc stały nieruchomo. Ptaki, zdziwione obecnością obcych, umilkły. Jedynie śmiech strumyka, który słychać było z oddali, odrobinę mącił ten absolutny spokój. Ale już odezwała się jakaś odważniejsza sikora. Zaterkotał dzięcioł. Gdzieś wysoko zakrzyczał jastrząb. I polana ożyła.

Dzieci otrząsnęły się z zauroczenia i pobiegły oglądać obejście. Anastazja, otarłszy zwilgotniałe oczy, podeszła do drzwi, ujęła klucz i zdecydowanym gestem przekręciła go w zamku. Drzwi ze skrzypieniem otworzyły się i kobieta weszła do środka, gdzie czas stanął w miejscu.

Przez wszystkie lata jej nieobecności nie zmieniono wewnątrz niczego: w kuchni stał ten sam dębowy stół, wytarty do połysku dłońmi ugniatającymi na jego blacie ciasto, siekającymi mięso na wędliny, łokciami dzieci, które opierały się o niego, czekając na śniadanie, obiad czy kolację. Stary kredens, pięknie zdobiony przez miejscowego artystę, który dawno już nie żył, stał tak jak zwykle – naprzeciw okna. W rogu znajdowała się kuchnia węglowa, która ogrzewała pokój obok – niegdyś sypialnię rodziców. Tutaj też nic się nie zmieniło. To samo szerokie łóżko zasłane pierzyną z dwiema poduchami wystającymi spod żakardowej kapy. Toaletka mamy pod oknem, przepastna trzydrzwiowa szafa, w której nie raz, nie dwa mała Anastazja chowała się przed swymi braćmi – ot, tak, dla żartów – a oni szukali jej po całym domu, udając, że nie widzą, gdzie siostra – oczko w głowie całej rodziny – się ukryła. Pokój dziadków, który swego czasu zajęli obaj chłopcy, i wreszcie schody na stryszek, na którym ojciec wygospodarował dwa pokoiki: jeden gościnny, drugi dla Anastazji, gdy podrosła na tyle, że wypadało, by miała własną komnatkę. Wstrzymując oddech, wspięła się na strome schodki i powoli otworzyła drzwi do swojego królestwa. Pokój był pusty. A ta pustka, w porównaniu z pozostałymi pomieszczeniami, w których nie zmieniono niczego, wstrząsnęła Anastazją. Tutaj dopiero poczuła, jak bardzo nienawidził jej ten, co ukradł im dom.

Zatrzasnęła czym prędzej drzwi, opierając się o nie plecami.

Z dołu doleciał głos Aleksieja. Zawtórowała mu Lila:

– Ciociuuu, gdzie jesteś?

Anastazja uspokoiła oddech i z uśmiechem zeszła na dół.

Może drzwi do przeszłości zostawi zamknięte, może nie. Jutro zdecyduje, co dalej. Teraz trzeba było zająć się rozlokowaniem małych lokatorów, rozpakowaniem bagażu, a przede wszystkim napaleniem w piecu i nagrzaniem wody na kąpiel.

Anastazja zdecydowanym krokiem wróciła do kuchni i zarządziła:

– Alek, ty narąbiesz szczapek na podpałkę, Lila, tam na razie będzie wasz pokój, kiedyś mieszkali w nim moi bracia, więc będzie wam przyjemnie, powkładaj rzeczy do szafy, swoje i Alka. Gdy to zrobicie, znajdę wam coś innego do roboty. Nudzić się tu nie będziemy.

I nie nudziliśmy się ani chwili.

Jeśli nie praca w domu, który trzeba było wysprzątać, to zwiedzanie okolicy pod czujnym okiem Anastazji – Alek jeszcze nie znał tutejszych lasów, a jak ostrzegała ciotka, nietrudno było się w nich zgubić na amen. „Na amen" – powtarzała dobitnie i nie pozwalała wyruszać nam na samotne wędrówki.

Ona sama co dzień udawała się do Nowego Sącza, załatwiać rozmaite sprawy, gdy zaś zabierała nas na spacer po lasach otaczających Nadzieję – okazało się, że to nie nazwa wsi, a właśnie tego domku – uczyła, jak się zachować w razie zagubienia:

– Dojdziesz, Lila do najbliższego strumienia... – mówiła, patrząc mi poważnie w oczy. Ja równie poważnie słuchałam, przytakując co chwila skinieniem głowy – a potem w dół, w tę stronę, gdzie płynie woda. Tak wcześniej czy później dotrzesz do ludzkich siedzib.

– Nie wolno zbierać nieznanych grzybów. A już na pewno jeść. – Tu patrzyła na wiecznie głodnego Aleksieja. – Tylko te, które już znasz albo niedługo poznasz. Nie wolno jeść nieznanych jagód, choćby nie wiem jak pięknie wyglądały, Lila. Te, zobacz, takie błyszczące i granatowe, trują na śmierć. Nie będziesz ich jadła, prawda?

Nigdy na nie nawet nie spojrzałam.

– Pokażę wam, jak zbudować szałas, w razie, gdyby w górach złapała was noc.

I uczyła dwoje dzieci sztuki przetrwania.

Nie mogłam wiedzieć, że kiedyś jej nauki uratują mi życie...

Liliana wysiadła z pociągu na stacji Kraków Główny jako ostatnia, uprzednio rozejrzawszy się po peronie. Już wiedziała, jak się czuje ścigane zwierzę, choć pościg jeszcze nie mógł ruszyć. Było za wcześnie.

Świtało.

Kraków w pierwszych promieniach czystego zimowego słońca obezwładniał pięknem i dostojeństwem. Szła szybko uliczkami Starego Miasta, szukając kawiarni otwartej mimo tak wczesnej pory. Powietrze było mroźne, a po zaduchu pociągu tak rześkie, że kręciło się w głowie.

Marzyła o gorącej kąpieli, miękkiej poduszce, do której można przyłożyć głowę, i ciepłej kołdrze, pod którą można zwinąć się w precel i odespać całe zło, ale mogła pozwolić sobie jedynie na herbatę. To nie pieniądze były problemem – te miała – ale konieczność zameldowania. W hotelu poprosiliby o dowód, a Liliana nie mogła zostawiać śladów. Mimo wyczerpania, niepewności i strachu, na usta kobiety zawitał nieśmiały uśmiech. Po raz pierwszy od niepamiętnych czasów poczuła się wolna.

Czy niepamiętnych? To przecież niedaleko stąd – w Nadziei – Aleksiej z Anastazją podarowali jej wolność, której wspomnienie przywiodło Lilianę do Krakowa, za parę godzin poprowadzi do Nowego Sącza, potem do Boguszy i... tak, ku małej chatce, przytulonej do jodłowej puszczy, otoczonej śpiewem ptaków i śmiechem strumyka...

– Aleksiej! Aluś, zobacz! – Lila dopadła chłopca, który wielce skupiony próbował łapać pstrągi w strumieniu. Prychnął, gdy mała, nie zważając na nic, wbiegła na kładkę, przechyliła się przez barierkę i zawisła mu nad głową.

Wyciągała ku niemu dłoń, na której spoczywało małe jajeczko, bladoniebieskie w brązowe piegi.

– To jajko kosa – mruknął zły, że spłoszyła mu ryby i że to nie on je znalazł.

– Ma gniazdko w krzaku bzu! Tak nisko nad ziemią, że mogłam dosięgnąć. Wysiedzimy je i będziemy hodować!

– Jak niby je wysiedzisz? – Aleksiej posłał dziewczynce kpiące spojrzenie i dmuchnął w grzywkę, bo czarne, za długie włosy wchodziły mu do oczu. – Odnieś z powrotem, będziemy obserwować, jak ptaki sobie radzą najpierw z jajkami, potem z pisklętami.

– Ale nie zrobisz im krzywdy? – Oczy Lili pociemniały.

– Dlaczego miałbym zrobić?! – żachnął się.

– Widziałam jak inni chłopcy łapią ptaszki i zabijają…

– Nie jestem jak inni. – Wzruszył ramionami.

Czasem chciałby być taki sam, jak dzieciaki ze wsi: łobuzować, kraść, zabijać i niszczyć. Z jednej strony, rodzice, a potem Anastazja wychowali go w poszanowaniu życia i cudzej własności, z drugiej – został przez rówieśników odrzucony, nie bardzo miał więc w czyim towarzystwie dokazywać i przed kim się popisywać. Z Lilą mógł co najwyżej podwędzić parę ziemniaków z pola sąsiada, gdyby jednak próbował ukręcić pisklęciu łepek, dziewczynka zalałaby się łzami. Ciotka Anastazja zapłakałaby się, gdyby przygarnięta sierota zaczęła niszczyć obejście. Nie – Aleksiej westchnął od serca – nie miał szans znormalnieć... W tym momencie u jego bosych stóp plusnęła ryba. Aleksiej pochylił się błyskawicznie i próbował chwycić łup w zgrabiałe od zimna ręce, ale... w ostatniej chwili złapał dziewczynkę, która przechyliła się za mocno i po prostu spadła chłopcu na głowę.

Zachwiał się pod jej ciężarem, choć ważyła nie więcej niż ten pstrąg. Mała pisnęła, czując że za chwilę pluśnie w lodowatą wodę, ale nie wypuścił jej dotąd, aż odzyskał równowagę i wyszedł na brzeg.

– Uratowałeś mnie! – Lila posłała zbawcy promienny uśmiech.

Alek wzruszył ramionami.

– No, to jesteśmy kwita: ty mnie, a ja ciebie. Tylko zobacz, co zostało z jajka...

Dziewczynka powoli otworzyła dłoń i rozpłakała się, widząc żółtko spływające między palcami. Aleksiej zaś zmarszczył nos.

– Nie becz, nie ma powodu, to było stare jajko. Martwe.

– Nie zabiłam pisklaczka?

– Nie zabiłaś. Pisklaczki lęgną się na wiosnę. Pewnie coś kosy spłoszyło i opuściły gniazdo. Przyjedziemy tutaj za pół roku i...

Przerwało mu wołanie ciotki Anastazji. Poczuł, jak żołądek skręca mu się z głodu. Pociągnął dziewczynkę za rękę, obmył jej dłoń z resztek żółtka w strumieniu i po chwili razem, znów szczęśliwi i beztroscy, biegli do domu na obiad.

A Lila tego dnia dowiedziała się dwóch rzeczy i je zapamiętała: po pierwsze, Aleksiej nie jest taki jak inni, nie zabija piskląt, a po drugie, ona, Lila, jeszcze tu wróci. Za pół roku. Tak powiedział. A jemu ufała bezgranicznie.

Tego dnia przy obiedzie ciocia miała uśmiech na twarzy i słońce w oczach.

– Dom jest nasz – rzekła wreszcie, nagabywana przez dzieci. – W przyszłym tygodniu sprowadzimy tutaj nasze rzeczy i na zawsze pożegnamy się z Zagrodziną.

– I ze szkołą – dodał Aleksiej, równie rozpromieniony, co ona.

– I z niedobrymi dziećmi – dorzuciła swoje trzy grosze Lila.

Oczy obojga – Anastazji i Aleksieja – spochmurniały.

– Ty, malutka, nie możesz z nami zamieszkać. – Kobiecie drżał głos, gdy musiała powiedzieć to dziewczynce i zgasić płomyk nadziei w błękitnych oczach, które zaraz napełniły się łzami.

– Nie chcecie mnie? – szepnęła i chciała wstać od stołu, powędrować przed siebie, tak jak kiedyś to zrobiła, ale chłopiec przytrzymał ją za rękę.

– My ciebie chcemy, Lilou, tylko twój ojciec nigdy się nie zgodzi, byś tu zamieszkała.

– Ja go poproszę – zaczęła i zaraz umilkła. Bardzo chciała zostać w tym cichym, spokojnym domu, z Anastazją, która co wieczór czesała jej włosy i śpiewała kołysanki, z Aleksiejem, który nie wyśmiewał się z jej kalectwa i był jej przyjacielem, ale... kochała przecież tatę, mimo bicia, strachu i wyzwisk. Teraz, gdy odeszła ciocia Marysia z Elżunią, on został sam i pewnie tęsknił za swoją małą córeczką...

Nie. Ojciec za mną nie tęsknił, a przynajmniej nie dał tego po sobie poznać, o czym przekonałam się parę dni później, gdy Anastazja odprowadziła mnie do domu. Ojciec leżał w barłogu, jeszcze poobijany po wypadku. Właśnie znieczulał się flaszką taniego wina, gdy weszłyśmy do ciemnego pokoju, a ciotka, głosem tłumionym z gniewu, rzekła:

– Przyprowadziłam Lilę. Wyjeżdżam i nie mogę się nią dłużej zajmować.

– Co się należy? – wybełkotał w odpowiedzi, a Anastazja prychnęła z pogardą i gniewem. Teraz rozumiem ten gniew: musiała zostawić dziecko, które polubiła, może nawet pokochała, w tym ciemnym, śmierdzącym pokoju, na łaskę i niełaskę człowieka, któremu nie powierzyłaby nawet psa.

Pochyliła się nade mną, położyła ciepłe, miękkie dłonie na moich ramionach – tak inne od zaciskających się kleszczy ojca, gdy wpadał we wściekłość – i powiedziała ze smutkiem:

– Lila, zostaniesz z tatusiem, ale pamiętaj, że zawsze jesteś u nas mile widziana. Pamiętaj, że tam, za górami, za lasami jest dom, w którym ktoś na ciebie czeka. – Pochyliła się, żeby mnie ucałować na do widzenia i szepnęła wprost do ucha tak, by ojciec nie słyszał: – Nie mów nikomu, gdzie to jest. Nigdy. Nikomu.

Kiwnęłam głową, zmrożona powagą chwili.

I nigdy nikomu nie powiedziałam, że jedynym miejscem, do którego tęskniłam przez całe życie, jest Nadzieja.

Dla Lili nastały smutne dni, które przeciągnęły się w smutne miesiące, a te w równie niewesołe lata.

Jedyni przyjaciele, jakich miała – Aleksiej i Anastazja – zniknęli z jej życia tak nagle, jak się pojawili, pozostawiając w sercu małej samotnej dziewczynki tęsknotę i żal.

„Dlaczego?" – pytała po cichutku białego misia, którego na pożegnanie wcisnął jej w ramiona Alek. I to „dlaczego" obejmowało cały świat: ojca, który nie kochał, macochę i siostrę, które odpychały garnącą się do nich dziewczynkę, dzieciaki, które stawały się coraz dokuczliwsze, wreszcie tych dwoje, którzy gdzieś daleko wiedli wspaniałe życie w domku na polance, a o niej – Lili – zapomnieli.

Nie mogła wiedzieć, że Aleksiej bynajmniej nie jest szczęśliwszy od niej i z takim samym żalem pyta co miesiąc swoją ciotkę:

– Dlaczego oddałaś mnie do tej cholernej szkoły?

Anastazja bowiem powierzyła wychowanie i nauki chłopca rękom godniejszym, a przede wszystkim bardziej stanowczym od swoich. Alek, ten dziki, wolny duch, został uwięziony nie gdzie indziej jak w klasztorze zamienionym na katolicką szkołę dla chłopców.

Skończyło się wprawdzie prześladowanie przez rówieśników, nie był już „tym brudnym Ruskiem" – prawdę powiedziawszy znów stał na czele małej szkolnej bandy i powinien być szczęśliwy - ale surowe reguły, jakim podlegali uczniowie, twarda ręka opiekunów, a w szczególności ojca dyrektora i wysokie wymagania nauczycieli sprawiły, że chłopiec czuł się jak w więzieniu o zaostrzonym rygorze – choć nie mógł oczywiście wiedzieć, jak takie więzienie wygląda. Miesiąc w miesiąc więc, gdy w nagrodę pozwalano mu odwiedzić Nadzieję (za karę odwiedziny parę razy mu przepadły), pytał, pilnując, by w głosie nie zabrzmiały skarga czy żal:

– Dlaczego oddałaś mnie do tej cholernej szkoły?

Anastazja, czując się winna, tłumaczyła przybranemu synowi: dobre warunki, grzeczne dzieci, wysoki poziom nauczania. Aleksiej jednak zaciskał zęby, aż chrupało i cedził:

– Masz mnie natychmiast stamtąd zabrać.

Ciotka pozostała jednak nieugięta. Aż do czerwca. W szkolnych murach rozbrzmiał ostatni dzwonek. Uczniowie rzucili książki w kąt, nie bacząc na wołanie nauczycieli, złapali przygotowane zawczasu walizki czy podróżne torby i w trzy minuty budynek klasztoru opustoszał. Nawet jeśli któryś z chłopców miał pekaes późniejszym popołudniem, biegł na łąki nad rzeką, zdejmując po drodze znienawidzony mundurek, by tam – a nie w murach szkoły – czekać na rodziców albo autobus. Aleksiej biegł oczywiście na przedzie, wyrzucając w górę a to bluzę z godłem szkoły, a to podkoszulek czy but. Tylko spodni nie mógł się w biegu pozbyć, uczynił to nad rzeką.

Resztę popołudnia spędził nader przyjemnie, przytapiając kolegów, schnąc na słońcu i znów wskakując do wody. Później rozegrali mecz towarzyski z dzieciakami z pobliskiej wsi – Aleksiej oczywiście w ataku – i gdy słońce zaczęło chylić się nad horyzontem, a większość uczniów rozjechała się do domów, on również włożył ubranie – tym razem nie mundurek, a normalne, jak człowiek – i już miał biec na przystanek, autobusy do Boguszy odchodziły co godzinę, gdy znajoma postać zamajaczyła na horyzoncie.

– Ciocia! – wykrzyknął i wybiegł opiekunce na spotkanie. Wpadł jej w ramiona, nie bacząc na uśmieszki kolegów. Nie były złośliwe.

– Stęskniłam się za tobą, synku – wyszeptała Anastazja, a w oczach zaszkliły się łzy.

Wyrwał się z jej objęć, pobiegł po teczkę i wrócił ze świadectwem, z dumą wręczając dokument kobiecie. Przebiegła wzrokiem piątki i czwórki, zatrzymując się na rubryczce „sprawowanie".

– Na to nie patrz – mruknął chłopiec.

Uśmiechnęła się tylko.

– Wspaniałe. Dziękuję ci, Aluś, że mimo wszystko wytrzymałeś. I przynosisz tak dobre stopnie.

Wzruszył po swojemu ramionami.

– Mam dla ciebie nowiny. Równie dobre, jak te oceny.

Podniósł na nią zaciekawiony wzrok.

– Nie wrócisz już tutaj. Postanowiłam, że skoro tak ci w tej szkole źle, pójdziesz do normalnej podstawówki, bliżej domu.

Alek zmartwiał. Oczy mu zogromniały.

– Ale…

– Po tylekroć skarżyłeś się na nauczycieli, dyrektora i opiekunów…

– Ale ciociu, oni mnie tu dobrze uczą.

– Mimo to wolę, żebyś był szczęśliwy. Już rozmawiałam z dyrektorką szkoły w Boguszy, teraz pójdziemy do ojca dyrektora i ciebie wypi…

– Ale… ja wytrzymam! Ciociu, wytrzymam, przysięgam! Tutaj… no tak, skarżyłem się nie raz, jak baba, ale tak naprawdę…

Anastazja usiłowała zachować powagę, ale oczy jej się śmiały. Marzyła o dobrej edukacji dla Aleksieja – tego, czego jej w życiu zabrakło, nie chciała jednak, by czuł się w surowym klasztorze, może za surowym dla takiego dziecka, osamotniony i nieszczęśliwy, tymczasem…

– Zostanę tu, ciociu, dobrze? Wrócę po wakacjach i już nigdy nie będę narzekał. No, może czasem. Troszeczkę.

Przytuliła go serdecznie, z miłością niemal matczyną. Odpowiedział równie silnym uściskiem i sprawa szkoły została na najbliższe kilka lat rozwiązana.

– A druga nowina? – przypomniał sobie.

– Pojedziemy do Zagrodziny. Może ojciec Lili pozwoli jej spędzić z nami wakacje.

Chłopcu rozbłysły oczy. Tęsknił za przyjaciółką, choć nie przyznałby się do tego za żadne skarby świata. Martwił się o tę kruszynę pozostawioną na łaskę i niełaskę nieobliczalnego ojca. Teraz więc chwycił torbę podróżną i stanął przed ciotką, gotów jechać tam natychmiast.

Ale dom małej Liliany stał zamknięty na cztery spusty. Borowy, zabierając ze sobą córkę, żonę i pasierbicę, ruszył w Polskę za pracą i nikt nie wiedział, czy i kiedy powrócą.

Lila i Aleksiej mieli się spotkać za długie dziewięć lat…

CZĘŚĆ II

Wzgardzona piękność

Liliana zdążała na południe, w stronę Nowego Sącza – miasta, które dwadzieścia pięć lat temu zauroczyło ją pięknem rynku, a przede wszystkim bliskością Boguszy, a więc i Nadziei.

Jadąc pekaesem po wąskich, krętych szosach Małopolski, powróciła pamięcią do tamtej chwili, gdy półprzytomna z podekscytowania podskakiwała na siedzeniu obok Aleksieja i oboje nie mogli się doczekać, kiedy autobus się zatrzyma, kiedy pobiegną leśną ścieżką, kiedy wypadną na polanę i ujrzą w końcu obiecany raj.

Liliana miała nadzieję, że trafi, choć była w tym miejscu zaledwie raz, w dzieciństwie. Droga do domu wryła się jednak kobiecie w pamięć – w to przynajmniej musiała wierzyć. Jeśli jej nie odnajdzie... wszystko stracone.

Zmęczenie wzięło górę i nad strachem, i nad niepewnością, i nad nadzieją. Liliana wtuliła głowę w kurtkę i zamknęła oczy.

Chwilę później wychodzi na skraju polany, tam, gdzie kończy się droga. Dom stoi cichy i opuszczony. Liliana podbiega do furtki, ze ściśniętym sercem i gardłem, z którego wyrywa się krzyk, wpada na podwórze i zamiera.

– Nie, proszę, nie!

Kręci głową, nie wierząc, że jej dom – ten, do którego dążyła przez całe życie, stoi martwy i opuszczony. Okiennice chwieją się żałośnie na wygiętych gwoździach. Szybki w oknach są powybijane. Drzwi otwarte na oścież, ale nie zapraszają zdrożonego wędrowca do środka, przeciwnie. Liliana robi krok w ich kierunku, choć nogi ważą więcej niż jej wszystkie grzechy... i nagle z dachu podrywają się kruki.

Ogromne, czarne niczym piekielna otchłań kruki. Liliana wie już, że w środku czeka śmierć.

Spóźniła się.

Kobieta otwiera oczy, przerażona. Dygoce na całym ciele. W gardle nadal dławi krzyk. Zaciska palce na pasku torby podróżnej i modli się bezgłośnie. Oby okazało się to tylko sennym koszmarem. Oby dom czekał na nią tak, jak to kiedyś obiecała Anastazja. Oby...

Piętnastoletnia Lilka była pięknością. Skończoną pięknością. Ludzie na jej widok zatrzymywali się i odprowadzali wzrokiem zjawisko o wspaniałej figurze, pięknych platynowych, długich do pasa włosach i oczach błękitnych jak niebo w letni poranek. Była rozwinięta ponad wiek: piersi miała kształtne i pełne, talię wąską, tyłeczek zgrabny, a nogi długie i szczupłe. Każda dziewczyna, każda kobieta, która znała Lilkę Borową, zazdrościła jej urody i powodzenia.

Bo wokół dziewczyny stale kręcili się napaleni chłopcy. I nie tylko chłopcy. Niejeden sąsiad miał chrapkę na piękne młode ciało. Sam Stach Borowy musiał czasem brać zimny prysznic, by nie wodzić za córką pożądliwym wzrokiem. Jego niechęć więc jeszcze wzrosła.

Nie dość, że musiał pilnować Lilki przed zakusami mężczyzn, to i we własnym domu nie miał spokoju. A samotność Borowemu często dokuczała, bo Maria z Elżunią to odchodziły, to wracały. Nie było zgody w domu jeszcze nim Lilka rozkwitła, teraz nie było jej tym bardziej. Bo to ona – córka Borowego – stała się teraz powodem wściekłych awantur. Zazdrosna o Lilkę była Elżunia, zazdrosna była Maria, Stach chodził nabuzowany testosteronem, sama zaś przyczyna tego wszystkiego powinna być szczęśliwa. Wreszcie znajdowała się w centrum zainteresowania…

Uroda stała się moim przekleństwem. Gdy byłam dzieckiem, nie zwracałam uwagi na okrzyki nieznajomych: „Och, jakie śliczne dziecko!". Miałam swoje zmartwienia – samotność, ojca o ciężkiej ręce, siostrę i matkę, które nie darzyły mnie sympatią, że o miłości nie wspomnę, a później dojmującą tęsknotę za Aleksiejem i Anastazją. Nadal się jąkałam – to był mój kompleks, ale jednocześnie ucieczka. Ucieczka przed lepkimi dłońmi kolegów ze szkoły, które wpychali mi między nogi, dłońmi, którymi miażdżyli mi piersi, ucieczka przed spoconymi, śmierdzącymi ciałami, którymi napierali na mnie podczas każdej przerwy, zaganiając przerażoną ofiarę w byle kąt i tam macając, gniotąc, szarpiąc. To był koszmar, w którym obudziłam się pewnego dnia i żyłam dzień po dniu, tydzień po tygodniu, rok po roku.

Na początku biernie poddawałam się tej agresji – bo to nie była adoracja, te młode samce mi nie nadskakiwały. Oni chcieli mnie jednocześnie posiąść i unicestwić. Ukarać, zabić za to, że wzbudzałam w nich tak niepohamowane żądze. Jednak pewnego dnia, gdy zapędzili mnie do męskiej toalety i tam niemal obdarli z ubrania... tego dnia coś we mnie pękło. Gdzie tam pękło! To była eksplozja nienawiści. Zaczęłam drapać, szarpać i gryźć. Rwałam włosy, orałam pazurami twarze, zaciskałam zęby na lepkich rękach, które usiłowały mnie przytrzymać. I tym razem ja wygrałam. Prześladowcy prysnęli w pewnym momencie, przerażeni moją furią, a każdy ze śladami moich zębów i paznokci.

Ja oparłam się o ścianę, pomazaną obscenicznymi rysunkami, zakrwawiona, rozczochrana, ale... szczęśliwa. Umiem się bronić! Umiem walczyć! Aleksiej byłby ze mnie dumny! Albo... przyłączyłby się do tamtych. Jak dobrze, że wyjechał i nie powrócił...

Prześladowcy wrócili następnego dnia, i jeszcze następnego, i kolejnego, ale ja nie czekałam już biernie, aż uwolni mnie od nich dzwonek na lekcje. Za każdym razem walczyłam na śmierć i życie.

Wkrótce zaczęły dojrzewać inne dziewczyny, chętniejsze, bardziej przystępne i chłopcy mogli je obmacywać bez ryzyka utraty palca czy oka, dali mi więc spokój. Za to zaczęły mnie nękać koleżanki, zazdrosne o moją urodę.

Jakżeż ja siebie wtedy nienawidziłam! Tych długich, jedwabistych włosów, elfich oczu, szczupłego ciała, pełnych ust... Ukrywałam się za bezkształtnymi, burymi ciuchami. Włosy wiązałam w koński ogon i wciskałam pod chustkę albo czapkę. Garbiłam się, by ukryć piersi. I... tak, muszę – nie, nie muszę! – c h c ę to wyznać: karałam się.

Po raz pierwszy zrobiłam to w dniu, w którym Aleksiej z Anastazją na stałe opuścili naszą wieś. I mnie.

Na taką rozpacz mógł pomóc jedynie większy ból.

Mała Lila patrzyła, jak przyjaciel odchodzi, oglądając się raz po raz. Mówił coś do Anastazji. Może to było: „Nie zostawiajmy jej, ciociu", a może zupełnie co innego? Dziewczynka nie mogła tego wiedzieć.

Machała z całych sił rączką, gdy tylko chłopiec odwracał głowę i unosił dłoń w geście pożegnania, nie czując gorzkich łez, spływających po policzkach.

Nagle nogi poniosły ją same. Po prostu ruszyły ku furtce, a potem coraz szybciej i szybciej za odchodzącymi. Aleksiej usłyszał biegnące dziecko, wyrwał dłoń z ręki Anastazji i chwycił Lilę w objęcia, gdy tylko doń przypadła.

– Lilou, nie płacz. Ja wrócę – szeptał, pilnując, by samemu się nie rozpłakać.

Był wystarczająco przejęty nowym rozdziałem we własnym życiu, a tu musiał martwić się o dziewczynkę zostawianą samą sobie...

– Nie wrócisz – łkała. – Tam, w Nadziei o mnie zapomnisz. Będziesz miał nowych przyjaciół i nie wrócisz.

– Aluś, pospiesz się, bo autobus nam ucieknie – wtrąciła się łagodnie Anastazja. – Lila, wracaj do domu, bo tatuś się na ciebie zdenerwuje.

Ujęła małą za ramię, by delikatnie ją odciągnąć. Dziewczynka stłumiła jęk i wyrwała rękę. Wczoraj ojciec znów ją wyszarpał za ten tydzień w Nadziei. Teraz, gdy „ruska swołocz" wyjeżdżała na dobre, nie musiał obawiać się o swoje gardło.

Lila zaś stała na drodze i ocierając łzy, odprowadzała przyjaciół pełnym rezygnacji wzrokiem. Gdyby ktoś teraz spojrzał w oczy tej sześcioletniej dziewczynki, przeraziłby się, jak dorosły jest jej ból.

Gdy Aleksiej zniknął za zakrętem, powlokła się do domu, gdzie nie czekało ją nic dobrego. Próbowała powstrzymać płacz, wiedząc, że się ojcu nie spodoba, ale łzy nie chciały przestać płynąć. I nagle... krzyknęła z bólu. Palec u nogi wystający z za małych sandałków trafił na szkło, które wbiło się w skórę. Lila usiadła, patrząc coraz większymi oczami na krew, która już zaczęła skapywać na piach drogi. Bolało. Bardzo bolało. Ale... ten ból niósł ulgę. Już mogła płakać bezkarnie. Miała inny powód niż tęsknota za utraconym przyjacielem. To ojciec zrozumie. Za to jej nie ukarze. Skaleczyła się!

Zostawiając na drodze krwawy ślad pokuśtykała do domu, a tam sprawdziły się jej przewidywania. Borowy popatrzył na skaleczenie, rzucił przekleństwem i poszedł szukać bandaża. Potem cisnął nim w dziewczynkę. Ta podreptała do łazienki, by owinąć ranę, a tam przyglądała się przez chwilę kapiącej na podłogę krwi, a potem nacisnęła skaleczony palec. Zabolało jeszcze bardziej. Za to ból w sercu zelżał...

Teraz mówią na to „samookaleczenie", ja nazywam rzecz po imieniu: od szóstego roku życia się chlastałam. Na początku oczywiście przerażona tym, co robię, ale i zafascynowana widokiem krwi, raczej przypadkiem niż celowo, bez tej pełnej nienawiści do samej siebie, premedytacji, co parę lat później. Będąc jednak samotną, odrzuconą przez najbliższych nastolatką, nękaną przez rówieśników, niemal dzień w dzień czekałam z mocno walącym sercem, aż dom opustoszeje, choćbym miała spóźnić się do szkoły, po czym zamykałam się w łazience, rękami trzęsącymi się jak u narkomana na głodzie wyciągałam ukrytą w szczelinie pod umywalką żyletkę i z westchnieniem ulgi przejeżdżałam po skórze. W takich miejscach, gdzie mogłam potem ukryć blizny. Pomagało. Pomagało jak jasna cholera. Do bólu egzystencji doszło jednak poczucie winy i wstyd. Palący wstyd, że jestem słaba, głupia i do tego pocięta.

I pragnienie, by nacisnąć żyletkę silniej...

Lilka w swoje piętnaste urodziny tkwiła w zamkniętej na klucz łazience, beznamiętnym wzrokiem wpatrzona w swoje lustrzane odbicie. Jakżeż ona nienawidziła tej pięknej buźki, namiętnych ust, wielkich, błyszczących oczu i włosów lśniących nawet w świetle głupiej żarówki...

A gdyby tak...? Przyłożyła ostrze do policzka. A może...? I do nadgarstka.

Po czym wybuchnęła płaczem. Zwinęła się w kłębek na zimnej podłodze i łkała, obejmując się ramionami niczym małe dziecko. Jak dziewięć lat wcześniej, w swoje szóste urodziny. Tylko że wtedy był przy niej Aleksiej. Zawsze był, bo te parę tygodni rozciągnęło się w pamięci Lilki do „zawsze". Tulił, pocieszał, stawał w jej obronie.

Kto obroni ją przed nowymi „kolegami" z liceum?

Za parę dni zaczynała naukę w pobliskiej szkole średniej. Aż dygotała z przerażenia i wstrętu na samą myśl, że koszmar, jaki przeżyła w podstawówce, powtórzy się tutaj. Że znów będzie musiała walczyć, drapać i gryźć, by dali jej spokój. Że chłopcy, owszem, odpuszczą, ale dziewczyny nie darują Lilce tej przeklętej urody. Już wystarczył wzrok sąsiadek z Zagrodziny, dokąd wrócili na początku wakacji, gdy ojca wyrzucono z kolejnej pracy za picie i kradzieże...

„Co za wstyd" – myślała Lilka, przypominając sobie publiczną eksmisję.

Milczenie trzymających się na boku ludzi, pogardliwe docinki policjantów wyrzucających na ulicę skromny dobytek Borowych, jękliwe krzyki Marii i histeryczny płacz Elżuni. Tylko ona, Lilka, zdawała się być nieobecna. I taka była. By znieść kolejne upokorzenie po prostu odpłynęła w inny wymiar. Do czasu i miejsca, w którym czuła się bezpieczna i kochana...

– Alek – szepnęła żałośnie, siedząc w ciemnej łazience, w swoim starym dom w Zagrodzinie. – Aleksiej, obiecałeś, że wrócisz, więc wróć, bo dłużej nie wytrzymam.

Zacisnęła palce na żyletce tak silnie, że skaleczyła wnętrze dłoni. Rozwarła rękę i ogromniejącymi oczami patrzyła na rosnącą plamę krwi. A gdyby tak...?

Pukanie do drzwi zewnętrznych wdarło się w ciszę domu.

Lilka poderwała głowę.

Nasłuchiwała przez chwilę, czując, że łomoczące serce za chwilę wyrwie się z piersi. Pukanie powtórzyło się, a ona nie czekała już ani chwili, wiedząc, po prostu wiedząc, kto stoi po drugiej stronie!

Wypadła z łazienki, przekręciła klucz w zamku, rozwarła drzwi na całą szerokość i wpadła stojącemu na progu chłopakowi wprost w ramiona.

– Alek, Aleksiej! – szeptała i krzyczała na przemian, tuląc się mu do piersi.

On obejmował dziewczynę z całych sił, powtarzając jej imię.

Uniosła spojrzenie pełne łez na twarz przyjaciela, na jego roześmiane oczy, dotknęła policzka, szorstkiego od zarostu, musnęła włosy, tak czarne, jak kiedyś, ale teraz nieco dłuższe. Poczuła siłę ramion, już nie chłopięcych, a jak najbardziej męskich, obejmujących jej talię i... chciała się wyswobodzić, nagle zażenowana, ale on tylko się zaśmiał miłym, głębokim śmiechem. Owszem, pozwolił jej nieco się odsunąć, ale nie miał zamiaru wypuszczać dziewczyny z rąk.

– Wreszcie cię odnalazłem, a ty już uciekasz? – zapytał z wyrzutem, którego nie było jednak w czarnych oczach.

– N-nie ucie-e-ekam, A-a-a... – Umilkła, gotowa zapaść się pod ziemię ze wstydu. Czy to cholerne jąkanie musiało wrócić właśnie teraz? Gdy pragnęła pokazać się przyjacielowi z jak najlepszej strony? By nie zostawił jej po raz drugi? – Szuka-a-ałeś mnie? – wykrztusiła wreszcie.

– Kobieto... – Pokręcił głową. – Kilka razy w roku przyjeżdżałem do tej zapadłej wsi! – Rozejrzał się dookoła z nieskrywanym obrzydzeniem. – Pytałem o ciebie. Nikt jednak nie wiedział, gdzie jesteś i kiedy wrócisz. Czy w ogóle wrócisz. Aleksiej Dragonow nie poddaje się jednak tak łatwo. Przyjeżdżałbym i pytał do śmierci! Na szczęście wróciłaś szybciej. – Znów ją chwycił w objęcia, przytulił, uniósł, obrócił dookoła raz i drugi. Aż pisnęła i zaśmiała się tak jak on: serdecznie, radośnie, z wdzięcznością i ulgą.

Postawił ją przed sobą na wyciągnięcie ramion, obrzucił uważnym spojrzeniem od stóp do głów, stwierdził krótko: „Urosłaś", po czym chwycił za rękę i pociągnął na tył domu do sadu, dróżką, którą oboje lata temu przemykali nie raz i nie drugi, potem przez dziurę w płocie, która jakimś cudem się skurczyła i wreszcie na łąki, ciągnące się aż pod las.

Pobiegli, nadal trzymając się za ręce przez rozkołysaną, złotozieloną przestrzeń, pachnącą słońcem i wolnością.

Wreszcie wpadli w opiekuńcze objęcia wysokich sosen i wyniosłych świerków. Aleksiej pokluczył jeszcze, szukając sobie tylko znanej kryjówki, by w końcu pociągnąć Lilkę w dół, do wykrotu, porośniętego miękkim, jasnozielonym mchem.

Padli ze śmiechem na wznak. Chwilę łapali oddech, patrząc na płynące po niebie pierzaste obłoczki i naraz, jakby pociągnięci niewidzialną nicią, zwrócili się twarzami do siebie.

– Opowiadaj! – powiedzieli w tym samym momencie i wybuchnęli śmiechem.

Jak dobrze, jak wspaniale było się śmiać w towarzystwie ukochanego przyjaciela! Lilce aż łzy zakręciły się w oczach. Srebrzysta kropla spłynęła po policzku. Starł ją gestem nieskończenie czułym. Dziewczyna przytrzymała jego dłoń, zamykając oczy. Gdyby to od niej zależało, zostałaby tak do końca swoich dni.

Aleksiej nie cofnął dłoni. Pozwolił, by Lilka tuliła ją przez długie minuty. Bez słowa. Bez żalów. Bez łez. Jednak to milczenie mówiło więcej niż godziny opowieści…

Cały dzień, do wieczora, spędzili w jarze, a to leżąc ramię w ramię, a to siedząc tak blisko, by kolana się ze sobą stykały, spacerując z rękami splecionymi tak mocno, by nikt ich nie mógł rozdzielić. I opowiadali. Aleksiej o swoich przygodach i dokonaniach w przyklasztornej szkole – zdał śpiewająco do liceum i teraz uczył się świetnie, marząc o dobrych studiach. Lilka o… no właśnie, Lilka przeważnie milczała, słuchając chłopaka z oczami wypełnionymi miłością i żalem. Miłością, bo nigdy wcześniej nie kochała go tak, jak w tym momencie, a żalem, bo on przeżył wspaniałe dziewięć lat, ona zaś…

– Lilou, nie powiem już ani słowa, dopóki nie usłyszę, jak się tobie wiedzie. Ojciec nadal popija? – Spoważniał. Uśmiech w czarnych oczach zgasł.

Dziewczyna kiwnęła głową.

– Wyrzucili go za to z ostatniej roboty. A nas razem z nim. – Trudno przychodziły te słowa, ale przecież jemu mogła powiedzieć wszystko. Czy rzeczywiście?

– Maria nie zostawiła tego pijusa?

– Och, odchodzi i wraca, jak bumerang. A z nią oczywiście Elżunia. – Tu skrzywiła się wieloznacznie.

– Nadal nie przepadacie za sobą? – Raczej stwierdził niż zapytał.

– Jest podła, mściwa i zazdrosna.

– Tej zazdrości wcale się nie dziwię. Masz pewno narzeczonych na pęczki. Sam zaraz będę zazdrosny!

Lilka zesztywniała od stóp do głów. Na te wspaniałe kilka godzin zapomniała o swoim przekleństwie, jednak wróciło. Czy teraz Aleksiej zacznie się do niej dobierać?

Jeśli tak, to czy ona, Lilka, zdoła mu odmówić, wiedząc, że jeśli go odepchnie, znów zostanie sama?

– Ej, Lilou, co się stało? – Wsunął kosmyk długich jasnych włosów dziewczyny za jej zgrabne, różowe ucho. – Nie uwierzę, że nie masz chłopaka, jesteś taka śliczna! – Ujął jej dłonie i chwilę patrzył na nią z prawdziwym zachwytem.

Znosiła to przez parę uderzeń serca, by naraz krzyknąć:

– Nie rób tego!

Wyrwała dłonie, odwróciła się i chciała pobiec ku ścieżce, ale nie pozwolił na to.

– Lilka, poczekaj, stój! – Przytrzymał ją za ramię, zwrócił ku sobie, zajrzał w błękitne oczy, teraz pociemniałe z przerażenia i błyszczące od łez. – Co się stało? Dlaczego nie mogę trzymać cię za ręce? Przecież się mnie nie boisz...

– Bo to się nie skończy na zwykłym trzymaniu! Tak się zawsze zaczyna, ale nigdy nie kończy! Będziesz chciał więcej i więcej. Najpierw niewinnego buziaka, potem przytulanki, a na końcu wsadzisz mi łapę między nogi! Jak oni! Jak ci wszyscy...!

Wybuchnęła płaczem, odpychając go z całych sił.

Chłopak przez chwilę stał jak wmurowany. Pobladł tak, jakby go uderzyła tymi słowami. W następnym momencie chwytał dziewczynę za ramiona i stawiał przed sobą, nie zważając na jej rozpaczliwe próby uwolnienia się.

– Słuchaj mnie! Słuchaj, dziewczyno! – Potrząsnął nią raz i drugi, aż umilkła i opadła z sił.

– Przyrzekałem, że będę cię bronić. Że do końca życia będę twoim przyjacielem i nigdy, nigdy! cię nie skrzywdzę. Przyrzekałem to, a ja nie rzucam słów na wiatr. Więcej cię nie dotknę, nie spojrzę na ciebie jak na kobietę, choć Bóg mi świadkiem, że jesteś prześliczna i patrzenie na ciebie sprawia prawdziwą przyjemność, ale nie spojrzę, tylko, błagam, nie odtrącaj mnie niczym parszywego psa, bo inni cię podle traktowali. Ja nie jestem taki jak inni.

Urwał. Zacisnął palce na jej ramionach jeszcze mocniej i powtórzył:

– Nie jestem jak inni. I nigdy cię nie skrzywdzę. Przysięgam.

Skinęła głową, niezdolna wykrztusić ani słowa.

Puścił ją.

Musiała usiąść, bo nogi odmawiały jej posłuszeństwa. Siadł obok, pilnując, by nie dotknąć jej ramieniem. Zaczęło się ściemniać, ale żadnemu nie spieszyło się jeszcze do domu.

– Jest aż tak źle? – zapytał cicho, przerywając ciążące milczenie. I sam sobie odpowiedział: – Ja chodzę do szkoły męskiej, nie uświadczysz u nas dziewczyn, ale wyobrażam sobie, co potrafią wyrabiać napaleni gówniarze...

– A ty niby nie? – prychnęła.

Powinien się żachnąć, zaprzeczyć, ale zamiast tego odrzekł spokojnie:

– Ja potrafię się kontrolować. – Wstał. – Chodź, odprowadzę cię do domu, bo twój stary furii dostanie i znów będę musiał mu brzytwą grozić.

Uśmiechnął się łobuzersko. Musiała odpowiedzieć uśmiechem. Ujęła z wahaniem wyciągniętą dłoń i po chwili znów ramię w ramię wracali do wsi.

Ojciec spał, zamroczony alkoholem. Macocha z Elżunią gdzieś wybyły. Tym razem Lilce się upiekło. Przemknęli cicho do jej pokoju, weszli do środka, a dziewczyna przekręciła klucz w zamku. W razie czego Aleksiej mógł uciec przez okno... Teraz jednak rozglądał się po znajomym wnętrzu.

– Nic się nie zmieniło – mruknął zdziwiony. – Zupełnie jakby czas w tym miejscu się zatrzymał. Żyjesz przeszłością, Lilou...

– A to źle? – Wzruszyła ramionami.

– Dla piętnastoletniej dziewczyny? Owszem, źle. Gdybyś zobaczyła moje królestwo... – Zaśmiał się cicho.

– Nagie laski na ścianach?

Aż zmrużył ze złości czarne oczy.

– Mylisz się, moja droga przyjaciółko. Jachty. Teraz mogę tylko popatrzeć, ale kiedyś będę miał własny i opłynę nim Ziemię dookoła. I to nie raz!

– Zabierzesz mnie ze sobą? – W głosie dziewczyny zabrzmiało błaganie, choć nie chciała go o nic prosić, a tym bardziej błagać. To on powinien prosić ją!

– Oczywiście! Jak mógłbym zostawić moją żonę...?

– Żonę? – podchwyciła z niedowierzaniem.

– Przecież ożenię się z tobą. Jeszcze nie teraz, za kilka lat, ale... Chyba, że nie chcesz – Uśmiechnął się szelmowsko. Kochała ten jego uśmiech. I błyszczące radością oczy. I męską, pociągłą twarz ze śladem zarostu na policzkach. I czarne włosy, lekko falujące, które mogłaby głaskać i głaskać – ręka dziewczyny sama wyciągnęła się ku twarzy chłopaka. W następnej chwili na jej nadgarstku zaciskały się silne męskie palce, nie pozwalając na najmniejszy nawet ruch.

– To, że przyrzekałem trzymać łapy z daleka, nie znaczy, że jestem bez uczuć – rzekł cicho, niemal groźnie.

Wyrwała dłoń.

– Za kilka lat już mnie tu nie będzie – rzuciła gniewnie. – Nie doczekam twoich oświadczyn. Jeśli chcesz się ze mną ożenić, zrób to szybko.

Nie zabrzmiało to jak słowa zakochanej kobiety. Jak rozkaz – owszem. Aleksiej przyglądał się dziewczynie uważnie chwilę, dwie, po czym pokręcił głową:

– Masz piętnaście lat. Twój ojciec się nie zgodzi.

– Nawet nie spróbujesz go o to zapytać! Prawisz słodkie słówka, rzucasz obietnice, a jak przyjdzie co do czego – uciekasz z podwiniętym ogonem! A ja… ja tu zostanę! – Przygryzła wargi, by się nie rozpłakać.

– Nie jestem tchórzem – wycedził. – Jeśli chcesz, mogę go poprosić o twoją rękę, nigdy więcej się jednak nie zobaczymy, bo weźmie ciebie pod klucz. Chyba, że uciekniesz, ale nie podejrzewam cię o taki akt odwagi.

Nawet nie wspomniał, że za przestawanie z nastolatką, która prawnie była dzieckiem, poszedłby pewnie siedzieć. Już i tak uważała go za tchórza.

Lilka stała pod oknem, coraz bardziej pogrążona w rozpaczy.

– Jutro wyjedziesz, znów zostawiając mnie w tym podłym miejscu, z podłymi ludźmi. Znów będziesz wolny jak ptak, wrócisz do świetnej szkoły, do swoich kumpli, a mnie będą wpychać do męskiej toalety i macać między nogami. Ty pójdziesz na studia, ja zostanę tutaj, by ojcu-moczymordzie prowadzić gospodarkę. Dostaniesz dobrą pracę i w końcu kupisz ten jacht, a ja...

Urwała, bo stanął przed nią tak blisko, że poczuła zapach młodego męskiego ciała. I nagle ogarnął ją płomień. Tam w dole, tak gorący, że aż zabolało. Podniosła na Aleksieja oczy, zogromniałe zdziwieniem i pożądaniem, a on aż cofnął się na widok głodu w ciemnogranatowych teraz źrenicach.

– Pójdę już – mruknął i nie czekając na odpowiedź, ruszył do drzwi.

– Widzisz! Widzisz! Już uciekasz! – zawołała za nim piskliwym głosem. Zatrzymał się w progu, po czym zdecydowanie wyszedł, zamykając za sobą drzwi.

Lilka rzuciła się na łóżko, wstrząsana łkaniem.

– Straciłaś go! Straciłaś! Ty głupia idiotko! Nienawidzę cię! Nienawidzę!!!

W jakimś szalonym odruchu chwyciła nóż, którym rano obierała jabłko, i wbiła go sobie w rękę.

Tej nocy, bandażując skaleczoną dłoń, która rwała trudnym do zniesienia bólem, wściekła i na siebie, i na niego, wpadłam na bardzo podły pomysł. I będę się za to po śmierci smażyć w piekle – tego jestem pewna...

Maciek Kundera, sąsiad Borowych, musiał się bardzo zdziwić, gdy następnego dnia po pojawieniu się we wsi Anastazji i „parszywego Ruska", za którym to Ruskiem zaczęły się oglądać wszystkie dziewczyny ze wsi – tak wyprzystojniał – Lilka, córka Stacha, zamiast włóczyć się z tamtym, jak to miała w zwyczaju parę lat wcześniej, zapukała do drzwi domu obok.

Młody Kundera, który akurat świniom podrzucał, wyszedł przed chlewnię i… oniemiał. Dziewczyna, i tak piękna, mimo dziwnych workowatych ciuchów, które zwykle nosiła, dziś wyglądała zjawiskowo. Szorty obnażające jej długie zgrabne nogi i jędrny tyłek, podkoszulek podkreślający szczupłą talię i takie piersi, że chłopak tylko jęknął w duchu, czując, jak członek zaraz wyrwie się mu ze spodni na wolność. Do tego rozpuszczone włosy, lśniące w promieniach słońca, podmalowane oczy i usta pociągnięte szminką… Ta właśnie Lilka uśmiechała się do niego, Maćka Kundery, w taki sposób, że rzucił wiadro z żarciem dla świń i wycierając nerwowo ręce o brudne spodnie, podszedł do dziewczyny.

Od dawna miał na córkę Borowego oko. Prawdę mówiąc, gdyby nie strach przed ciężką ręką Stacha, już dawno zaciągnąłby dziewczynę w krzaki i zwyobracał porządnie, jak to się tak nieziemskim laskom należało. Oczywiście podniosłaby rwetes i Stach by łeb Maćkowi upierdolił, jak to obiecał swego czasu publicznie w knajpie. No chyba, że Lilka dałaby po dobroci, ale o tym chłopak nie mógł nawet marzyć, widząc, jak trzyma się z dala, a na każdą jego propozycję wydyma usta i obrzuca go spojrzeniem pełnym obrzydzenia i pogardy. Tak było do wczoraj. Bo dziś miał Lilunię u siebie w domu, jak widać, chętną i gotową – już on, Maciej Kundera, zna te ich uśmieszki i strzelania okiem! Kurwy parszywe, jedna w jedną – tak o kobietach mówił jego ojciec, a Maciej to powtarzał, bo czemu nie. Jego własna matka się puściła z nauczycielem i poszła w długą! To co niby, Lilka lepsza?

– No, co tam, sąsiadka? – zagadnął, modląc się, by gówniara nie zobaczyła namiotu w spodniach, bo jeszcze się spłoszy przedwcześnie. – Krowy przyszłaś wydoić czy może buhajka? – zarechotał, ubawiony własnym dowcipem.

Lilka spłoniła się po cebulki włosów. Przygryzła wargę, walcząc sama ze sobą. To rozsądniejsze ja krzyczało: „Uciekaj stąd! Wracaj do domu albo biegnij do Anastazji, ale nie stój tu ani chwili dłużej!", drugie, to zdeterminowane, szeptało: „Ten palant jest ci potrzebny w realizacji planu, bierz go! Bierz!!".

Za długo się wahała i Maciek przejął inicjatywę, nie zamierzając wypuszczać okazji z rąk, nim Lilka zdoła się rozmyślić.

– Słuchaj, Lilka, dziś jest dyskoteka wieczorem, poszłabyś? Potańczymy, poprzytulamy się, wypijemy winka. A nie, ty za młoda jesteś, ale przytulać się lubisz?

„Lubię! Ale nie do ciebie!".

Kiwnęła głową.

– To co, jesteśmy umówieni? – Chłopak złapał ją znienacka za rękę, przyciągnął bliżej i uniósł jej twarz pod brodę.

Z trudem pohamowała się, by nie wrzasnąć i nie uciec.

– Fajnie będzie. Przyrzekam.

To słowo rozdzwoniło się w umyśle dziewczyny niczym sygnał alarmowy. Aleksiej też jej wczoraj przyrzekał! Tylko zupełnie co innego...

– Ja chciałam... żebyś mi p-p-p-po-o-omógł... – Gdyby mogła, zapadłaby się teraz pod ziemię z tym swoim p-p-p... – Ojciec wysłał mnie po drzewo do leśniczówki, ale się na tym nie z-z-znam i jeszcze kupię nie t-t-to.

– Nie ma sprawy. Poczekasz chwilę, to się przebiorę i możem iść.

Znów przytaknęła bez słowa, a potem przysiadła na ławeczce koło furtki, czekając, aż chłopak pojawi się z powrotem. Gdy się w końcu doczekała, aż jęknęła w duchu.

Maciek Kundera był przystojnym chłopakiem. Wysoki, barczysty blondyn, spalony na brąz, miał twarz o rysach męskich, choć nieco topornych, usta pełne niczym u cherubina i silne dłonie o długich wąskich palcach, którymi ponoć cuda działał – tak szeptały po kątach dziewczyny. Tymi palcami i językiem, choć co miało wspólnego jedno z drugim, Lilka nie wiedziała. Wiedziała za to, że niejedna sąsiadka – i to niekoniecznie panna na wydaniu – chętnie rozłożyłaby przed nim nogi. Te właśnie słowa usłyszała od Elżuni, gdy któregoś dnia Maciek, mijając je na wiejskiej drodze, chwycił starszą córkę Borowego za tyłek, aż pisnęła z zaskoczenia. Zarechotał i poszedł swoją drogą, a Elżunia, chichocząc spłoniona niczym dziewica, choć Lilka wiedziała, że siostra już te rzeczy ma za sobą, rzuciła ni to do siebie, ni do siostry:

– Przed młodszym Kunderą chętnie bym nogi rozłożyła. Ale on mną niezainteresowany. Wiesz, na czyj widok ślina mu cieknie?

Lilka pokręciła głową, woląc sobie nie wyobrażać zaślinionego sąsiada.

– Na twój, cnotko! – Elżunia rzuciła to niemal z nienawiścią. Lilka spojrzała na nią z przerażeniem. – No co się tak wytrzeszczasz? Połowa facetów ze wsi chętnie wzięłaby cię do łóżka, a drugiej połowie wystarczyłyby przydrożne krzaki! Niech no ojciec cię z którym przydybie... popamiętasz!

– Żeby ciebie nie przydybał z tym szczerbulcem! – odgryzła się Lilka, a Elżunia na taką obelgę aż zgrzytnęła zębami. Młodsza siostra odskoczyła na bezpieczną odległość. – I jak już obściskujecie się na tym sianie, to ciszej nieco, bo w domu słychać te jęki i stęki! – Odwróciła się na pięcie i uciekła, z jednej strony zła, że dała się sprowokować, z drugiej zadowolona, bo znalazła na starszą siostrę sposób. Niech no tylko Elżunia jej dokuczy, zaraz Lilka wspomni przy ojcu o szczerbatym sąsiedzie obściskującym jego córkę w stodole.

Teraz patrzyła na najprzystojniejszego chłopaka we wsi – dopóki nie pojawił się Aleksiej – i płakać się jej chciało. Maciek na szczęście nie wcisnął się w garnitur, ale... założył dżinsy tak obcisłe, że przyrodzenie miał niemal na wierzchu, co napawało Lilkę obrzydzeniem, koszula miała okropny różowy kolor (skąd on wytrzasnął takie cudo?!), zlał się jakimś dezodorantem tak, że Lilka musiała wstrzymać oddech, a włosy postawił na żel, dużo żelu, bardzo dużo lśniącego, tłustego żelu...

– No co, podobam się? – Chłopak z dumą wypiął pierś, niczym kogut, który nie wie, że za chwilę zostanie kapłonem. – Nowa koszula, z Tarnowa, ojciec mi przywiózł.

„Tylko dlaczego różowa?!" – zakrzyczała Lilka w duchu, a na głos odrzekła: – Szał po prostu. Idziemy?

„Tylko do ostatniego domu we wsi" – tłumaczyła sobie w duchu, sztywno stąpając u boku tego przebierańca. – „A jeśli nie spotkam Aleksieja... to jeszcze raz. Tam i z powrotem. Dotąd, aż w końcu zobaczy mnie u boku innego, poczuje zazdrość i zabierze mnie stąd czym prędzej. Jeśli to nie pomoże...".

Piętnastoletnia Lilka, która musiała odganiać się od kolegów w szkole, nie wzięła w swoich planach pod uwagę zdania Maćka, którym chciała się posłużyć dla wzbudzenia zazdrości w przyjacielu. Nie pomyślała, że napalony dorosły facet jest po stokroć niebezpieczniejszy niż szczeniaki z tej samej klasy. Że jej „nie" zrozumie dokładnie tak samo jak oni.

Tego dnia miała otrzymać pierwszą bolesną lekcję o męskiej naturze i o tym, czym mężczyźni w rzeczywistości myślą.

Za pierwszym razem jeszcze się jej udało. Maciek bez mrugnięcia okiem zawrócił, gdy tylko rzuciła:

– Och, czegoś zapomniałam...

Za drugim jednak, gdy doszli do ściany lasu, która zaczynała się zaraz za domem Anastazji, a Lilka zatrzymała się i otworzyła usta, by coś powiedzieć, zacisnął palce na jej ramieniu tak silnie, aż przysiadła z bólu i wysyczał:

– Co to za gierki? Idziemy, no już! Bo mi spodnie pękną! – I pociągnął ją w stronę zarośli.

Szarpnęła się, ale trzymał mocno. Krzyknęła. Obrócił ją plecami do siebie, kneblując jedną ręką, a przytrzymując ramiona drugą, uniósł, że zamajtała nogami, i warknął wprost do ucha przerażonej dziewczyny:

– Zamknij twarz, bo przyleję tak, że popamiętasz! Nie dasz po dobroci, to... będzie bolało.

Wiła się, próbowała kopać i gryźć, ale trzymał mocno, niosąc dziewczynę bez wysiłku w najciemniejsze chaszcze. Wreszcie rzucił ją na poszycie, przygniótł całym ciężarem ciała i zaczął rozpinać spodnie. Przedramieniem miażdżył jej szyję, odbierając oddech.

– Nie rzucaj się, kurwo, i nie wrzeszcz, to może będę miły...

Lilka znieruchomiała. Ucichła. Patrzyła na czerwoną twarz mężczyzny, na nabiegłe krwią oczy. Słuchała sapania, czuła zepsuty oddech i lepkie ręce na ciele. Wiedziała, że za chwilę stanie się coś potwornego, o czym do tej pory tylko słyszała albo czytała w gazetach i... leżała bez ruchu.

To uśpiło jego czujność. Uniósł się, uwolnił krtań dziewczyny i...

Wgryzła się w jego przedramię, aż zawył z bólu.

Wrzasnęła tak, że ptaki zafurkotały nad głową. I krzyczała dotąd, aż uciszył ją ciosem w twarz. Mamrocząc przekleństwa, próbował wbić się między nogi dziewczyny...

Aleksiej zaszedł go od tyłu cicho jak kot. W następnej sekundzie jednym ruchem poderwał głowę tamtego za włosy i zacisnął palce na jego krtani. Drugim szarpnął w bok, aż mężczyzna stoczył się z Lilki, uwalniając dziewczynę.

Odczołgała się w bok, patrząc, jak młodszy, szczuplejszy i niższy chłopak bez słowa, bez jednego dźwięku dusi zwalistego faceta, aż ten sinieje na twarzy, bezładnie szarpiąc rękami dłonie kata. Aleksiej zdawał się nie zauważać paznokci orających mu skórę na rękach i ramionach. Ze skupieniem na twarzy zaciskał palce coraz silniej i silniej… Naraz puścił.

Tamten padł na wznak, łapiąc powietrze jak karp w sieci.

Chłopak niespiesznie siadł mu na piersi i zaczął okładać pięściami siną twarz tamtego. Raz po raz, metodycznie, w takim samym strasznym milczeniu jak dotychczas. I znów przerwał bez uprzedzenia, bez słowa.

Wstał.

Przez chwilę patrzył na zbroczonego krwią niedoszłego gwałciciela, po czym… wyciągnął do niego rękę. Tamten gapił się nań napuchniętymi oczami i niechętnie przyjął tę dłoń. Stali naprzeciw siebie, mierząc się wzrokiem. Wreszcie Maciej uciekł spojrzeniem. W czarnych oczach Aleksieja nadal płonęła zimna, nieugięta chęć mordu.

– Ona jest moja. To jasne? – Jego głos zabrzmiał jak pomruk dzikiego kota szykującego się do skoku na ofiarę.

Mężczyzna skinął głową, odwrócił się i powlókł do wsi, ocierając twarz z krwi.

Przez cały ten czas ani jeden, ani drugi nie spojrzał na skuloną pod drzewem dziewczynę. Dopiero gdy Maciej zniknął im z oczu, Aleksiej przeniósł na nią oczy, w których dzika furia zaczęła przygasać. Wzrok chłopaka złagodniał. Pochylił się nad Lilką i zapytał z troską:

– Nic ci nie jest? Zdążyłem?

Skinęła głową, czując łzy napływające do oczu.

– Chodź, Lilou. – Uniósł ją i postawił przed sobą. Obejrzał od stóp do głów, wygładził sukienkę, dotknął policzka i rozciętej wargi. A potem... zagarnął dziewczynę ramieniem i przytulił z całych sił. – Zabiję, jeśli jeszcze raz ktoś podniesie na ciebie rękę – wyszeptał, słuchając jej rozpaczliwego szlochu. – Nie zdołam się powstrzymać i zabiję...

Lilka, mając przed oczami to, czego przed chwilą była świadkiem, nadal zmrożona precyzją jego ciosów, zadawanych w kompletnym milczeniu, niemal beznamiętnie, nadal przerażona chęcią mordu w jego spojrzeniu, zrozumiała, że to nie są słowa rozpaczy, przechwałki. Aleksiej rzeczywiście byłby w stanie zabić tego, który ją skrzywdzi. Uczepiła się tej myśli.

– Zabierz mnie stąd! – poprosiła, chwytając go za rękę, którą gładził jej splątane, uwalane ziemią włosy. – Tak właśnie jest! Ciągle! Nie ten, to dopadnie mnie inny! Zabierz mnie ze sobą!

Trwał chwilę bez ruchu, po czym pokręcił głową, czując nieznośny ciężar winy przygniatający jego siedemnastoletnie ramiona:

– Nie mogę, Lilou. Ścigaliby nas do skutku. Ja poszedłbym siedzieć, ty i tak wróciłabyś do ojca, a przecież... mam szkołę, mam ciotkę, której serce by pękło, mam...

– Myślałam, że masz mnie! – krzyknęła zrozpaczona i zła. – Przyrzekałeś, że będziesz mnie chronił, ty tchórzu! Jeśli nie, to idź precz! – Odepchnęła chłopaka resztką sił i ruszyła drogą ku wsi, czekając, aż on dogoni ją, zacznie przepraszać, kajać się, obiecywać złote góry, Aleksiej jednak nie uczynił ani kroku. Obejrzała się raz i drugi. Tkwił tam, gdzie go zostawiła ze zwieszoną głową i przygarbionymi ramionami.

Lilka zwolniła kroku.

To nie tak miało się skończyć! A jeśli nie tak, to...

Zawróciła biegiem, zawisła chłopakowi na szyi, wtuliła twarz w koszulę na jego piersi.

– Przepraszam, Aluś, przepraszam. I dziękuję, że... że znów mnie uratowałeś. Nie gniewaj się – poprosiła, gdy nie uniósł rąk, nie objął jej, nie przytulił. – Już raz odszedłeś, a ja tęskniłam tak strasznie... Nie mogę znieść myśli, że znów mnie zostawisz.

– Lilou... – Wreszcie się odezwał, choć ramiona, nadal ciężkie od bezsilności i poczucia winy, dopiero po chwili zamknęły się na szczupłym ciele dziewczyny. – Uwierz, mnie również jest ciężko, wiedząc, że zostawiam cię na pastwę ojca i tych gnojków, ale jeśli chcemy być razem, muszę skończyć studia, by nas utrzymać. Zasługujesz na bezpieczny, dostatni dom, Lilou, i ja chcę ci go dać. Ty daj mi trochę czasu.

– To tak długo – zakwiliła. – Siedem lat. Ja nie wytrzymam!

Tulił ją w milczeniu, próbując zapanować nad ciałem, które musiało odpowiedzieć na bliskość kochanej dziewczyny.

Lilka wyczuła to. Wyczuła narastające podniecenie chłopaka. Gdyby widział w tym momencie jej oczy, odtrąciłby dziewczynę i odszedł czym prędzej, ale on przymknął powieki i rozkoszował się zapachem jej włosów, ciepłem ciała, dotykiem dłoni na karku...

Och, Aleks, Aleks... Jak mogłam ci to zrobić? Byłeś taki ufny. Nie podejrzewałeś podstępu. Tak strasznie żałuję tego, co stało się później. Gdyby nie moja podłość, nie to zimne wyrachowanie – skąd ja je w sobie znalazłam, wtedy, mając zaledwie piętnaście lat? – może wszystko potoczyłoby się inaczej? Może dostalibyśmy od losu szansę na piękne życie, pełne czystej, nieskażonej miłości? Zaprzepaściłam tę szansę. Zbrukałam twoje uczucie. Zniszczyłam życie i tobie, i sobie. Nigdy tego nie odpokutuję.

Liliana poderwała głowę, rozglądając się nieprzytomnie dookoła. Sen był prawdziwszy od jawy. Smak chłopięcych ust, dotyk głodnych dłoni, ciężar rozpalonego ciała...

Pekaes zwalniał na ostatnim zakręcie. Wjechał na końcowy przystanek. Drzwi otworzyły się z sykiem i kierowca, odwracając się do nielicznych pasażerów, zawołał żartobliwie:

– Kto wysiada, niech wysiada, kto ma chęć na jeszcze jedną rundkę, niech da mi zapalić i jedziem.

Kobieta chwyciła bagaż, przecisnęła się między siedzeniami, by po chwili wyjść na zewnątrz, wprost w mroźne, zimowe popołudnie. Aromat jodeł zaparł jej dech w piersiach. Tak! Pamiętała go wyraźnie ze swojej pierwszej – i ostatniej – wizyty w tym miejscu!

Świat dookoła skrzył się w drobinach wirującego lodu. Nie śniegu, a właśnie czegoś tak nierzeczywistego, jak rozsypana na wietrze tęcza. Uniosła twarz ku słońcu i igiełkom światła, czując, jak całe zmęczenie, strach i niepewność towarzyszące jej podczas podróży znikają unoszone w górę przez tęczowe kryształki.

Tu miała szansę zapomnieć o przeszłości, zgubić pogoń i zacząć życie od nowa.

Jeśli... jeśli sen o domu był tylko snem. Jeśli Nadzieja czeka na nią nietknięta przez czas. Jeśli czeka na nią Aleksiej.

Musi. Inaczej wszystko, na co się zdobyła, straci sens. Jej rozpaczliwa próba ucieczki pójdzie na marne. Odnajdą ją, zmuszą do powrotu i... zapłaci straszliwą cenę za to, na co się ważyła. Za to, że w ogóle pomyślała o wyrwaniu się na wolność.

Ujęła rączkę torby i zdecydowanym krokiem ruszyła w górę drogi odchodzącej od głównego traktu. Kocie łby, którymi była wybrukowana, wiodły na skraj jodłowej puszczy majaczącej w dali. Potem przejdą w zwykłą ubitą drogę, z której Liliana będzie musiała skręcić w głąb lasu i ruszyć wzdłuż strumienia. On doprowadzi ją na polanę, pośrodku której stoi dom Anastazji i Aleksieja. O ile stoi...

„Nie będę się teraz tym martwić" – mruknęła do siebie. Nie może pozwolić sobie na chwilę zwątpienia. Przed nią daleka droga w mroźnym powietrzu. Jeszcze zdąży się zmęczyć, wtedy przystanie i zacznie się martwić, a potem ruszy dalej. Aż dotrze do celu.

Była to winna nie sobie, a jemu – Aleksowi.

Jedynemu mężczyźnie na świecie, który nigdy jej nie zawiódł i nie zdradził, za to ona jego... owszem.

To on oderwał wtedy, w lesie, jej ręce od swojej twarzy i usta od swoich ust. To on nie pozwolił, by oboje doszli do momentu, w którym nie będzie odwrotu. Odsunął dziewczynę na wyciągnięcie ramion, pochylił głowę i stał tak parę chwil, uspokajając oddech i łomocące serce.

Jeszcze próbowała zbliżyć się do niego, ale odezwał się cicho, groźnie:

– Nie, Lilka.

Te dwa proste słowa, wypowiedziane tonem zwiastującym burzę, sprawiły, że dziewczyna skinęła głową, przygładziła sukienkę i ruszyła ścieżką ku wsi, oglądając się na niego. Jeszcze parę sekund tkwił nieruchomo, jakby nie mógł się zdecydować: iść z nią czy zostać tu po wsze czasy, wreszcie podszedł do Lilki, mówiąc:

– Odprowadzę cię do domu.

Szli obok siebie w milczeniu. Z każdym krokiem emocje opadały. Gdyby nie siniak szpecący policzek dziewczyny, mogłoby się wydawać, że nic szczególnego się nie wydarzyło, ot, wracają ze spaceru po lesie.

Nagle Aleksiej zwolnił kroku. Lilka również, patrząc z rosnącym przerażeniem na tych, co czekali u wylotu drogi. Jeszcze nie na otwartej przestrzeni, ale już nie w leśnej gęstwinie.

Maciej i jeszcze dwóch wioskowych osiłków stali nieruchomo, z opuszczonymi rękami, patrząc spode łba na zbliżającą się parę.

Chłopak zaklął cicho, zatrzymał dziewczynę gestem dłoni i zrobił krok w przód, zasłaniając ją własnym ciałem.

– Czego chcecie? – Głos miał spokojny. Nienaturalnie spokojny.

– Spuścić ci wpierdol – odpowiedział Kundera po prostu. – Ona może odejść. Dałem słowo – dodał, nie patrząc na Lilkę. Spojrzenie utkwił w twarzy Aleksieja. Ten skinął głową i rzucił do dziewczyny półgłosem:

– Biegnij do domu, sprowadź kogoś, nim mnie zatłuką.

– Ale ja nie mam kogo! – wyjęczała.

Obejrzał się na nią ze zdumieniem.

– To idź po Anastazję! Ją wezwij, słyszysz?

Lilka stała jak słup soli, patrząc na niego przerażonymi oczami.

Tamci ruszyli, rozprostowując i zginając palce.

– Spierdalaj, Lilka, bo i tobie się oberwie – ostrzegł Kundera. – I nie wracaj tu czasami, bo skończymy z nim i zabawimy się z tobą.

Dziewczyna pierzchła jak spłoszony szarak. Nie oglądając się na Aleksieja, pognała okrężną drogą do wsi.

– No, teraz inaczej pogadamy, ruska mendo. Przytrzymajcie mi go…

Aleksiej przymknął oczy.

„Obyś zdążyła sprowadzić pomoc, nim połamią mi żebra i wybiją zęby". – Posłał dziewczynie ostatnią myśl, a potem westchnął z rezygnacją i ruszył na tamtych.

Ale Lilka nie wróciła – ani z Anastazją, ani z kimkolwiek innym. Zostawiła samemu sobie tego, który dwa kwadranse wcześniej uratował ją przed gwałtem.

Nim wybiegła na otwartą przestrzeń, ukryła się za drzewem i wyjrzała ostrożnie. Chłopak, zalany krwią, zwisał między dwoma pomagierami, a Kundera, przytrzymując go za włosy, unosił pięść do następnego ciosu. Lilka jęknęła, odwróciła się na pięcie i pobiegła dalej, zatykając uszy, w których pobrzmiewał zduszony krzyk przyjaciela.

Nie wezwała ani Anastazji, ani nikogo innego.

Dlaczego? Dlaczego zostawiłam ciebie wtedy na pastwę rozjuszonych bandziorów? Wystarczyło pobiec do Anastazji, ona chwyciłaby chociaż za widły, ja za siekierę i razem ruszyłybyśmy ci na pomoc. Tamci nie ważyliby się tknąć i jej, i mnie! A jednak minęłam opłotkami twój dom, przebiegłam przez sad i zaszyłam się w swoim pokoju, pod kołdrą, udając, że mnie nie ma. I ciebie nie ma również.

Do dziś nie mam słów pogardy dla siebie, a przecież nie to najgorsze, co się tobie z mojej ręki przytrafiło…

Dlaczego już wtedy nie poznałeś się na mnie, nie zrozumiałeś, że twoje wyobrażenie ma się nijak do rzeczywistości, że nie jestem warta ni jednej myśli, a na pewno nie takiej miłości, jaką mnie darzyłeś, i nie odszedłeś w siną dal, by nigdy nie wrócić? Dlaczego, Aleks?

Wracałeś za każdym razem. Ja ciebie raniłam, zdradzałam, zawodziłam, ty odchodziłeś, leczyłeś rany na ciele i na duchu, wybaczałeś – za każdym razem mi wybaczałeś – by wracać. Po roku, po dwóch, po trzech, ale zawsze wracać. Niezmienny jak wschód i zachód słońca, stały jak fala przypływu. A ja wykorzystywałam tę twoją słabość, raniąc wciąż bardziej i bardziej.

Dlaczego mi na to pozwalałeś, Aleks?

Skatowanego do nieprzytomności chłopaka znalazł pod wieczór leśniczy i zawiózł go prosto do szpitala. Tam dopiero, dwa dni po zajściu, dziewczyna zjawiła się, cała we łzach, by potrzymać swego bohatera za rękę.

Próbował się wyswobodzić, ale nie miał sił, by z nią walczyć.

– Przepraszam, Aluś, wybacz mi. – Lilka każde słowo okraszała łzą i pocałunkiem. – Ja... skręciłam nogę po drodze. Ledwo sama doszłam do domu.

Opuchnięte powieki uniosły się na milimetr. Wściekły błysk czarnych oczy wystarczył za słowa.

– Oni powiedzieli... kazali ci powiedzieć, że jesteście kwita, że ty jesteś równy gość i możesz wrócić do wsi, a mnie nie tkną, bo jestem twoją dziewczyną. To dobrze, prawda, Aluś? – Zajrzała mu błagalnie w twarz, ale odwrócił się do okna.

Owszem, był równy gość, bo nie usłyszeli ani słowa skargi, gdy łamali pięścią żebra. Nie błagał o litość, gdy kopali go w nerki, a ból odbierał zmysły. Nie zgłosił pobicia na policję, nie pisnął słowa, kto mu to zrobił, choć Anastazja próbowała z niego wydobyć te informacje, by na własną rękę wymierzyć sprawiedliwość.

Oni byli kwita, Lilka była bezpieczna. Czemu jednak czuł gorycz zamiast satysfakcji?

Przychodziła do niego codziennie i codziennie – na zmianę – a to prosiła o wybaczenie, a to umizgiwała się do chłopaka. Pozostał obojętny i na błagania, i na zaloty. Anastazja, nie znając prawdy, pocieszała dziewczynę, że chłopcy tak mają: albo nie można się od nich odgonić, albo wprost przeciwnie, uciekają w głąb siebie i nikt nie ma do nich dostępu. „Aleksiejowi przejdzie, zobaczysz, Lila, i znów świata nie będzie poza tobą widział".

Przeszło, owszem, dwa lata później.

Lilka wracała ze szkoły, jak zwykle sama, bo koleżanki nie mogły wybaczyć jej urody, a koledzy nieprzystępności, gdy... czekał na nią. Nonszalancko oparty o wiatę przystanku, z rękami w kieszeniach, przygryzając źdźbło trawy, flirtował z dziewczynami oczekującymi na pekaes.

Lilce na widok Aleksieja zaparło dech w piersi, bo jak dwa lata wcześniej był ładnym chłopakiem, tak teraz miała przed sobą fascynującego mroczną urodą mężczyznę. Czarne półdługie włosy lśniły w popołudniowym słońcu, w oczach miał ten sam dobrze znany błysk dzikiego drapieżnika, ruchy zwodniczo miękkie, a już najbardziej pociągający był leniwy półuśmiech, którym obdarzał otaczające go adoratorki. Nie było dziewczyny czy kobiety, która nie zwróciłaby uwagi na tego pięknego młodego człowieka.

Lilka zwolniła kroku, by wreszcie zatrzymać się parę metrów od przystanku. Była rozdarta wewnętrznie: podejść czy nie? Wybaczył jej czy nadal nosił urazę? Jest tu dla niej czy znalazł sobie inną miłość i przyjechał się pożegnać?

Wszelkie wątpliwości rozwiał sam Aleksiej.

Na widok przyjaciółki z dzieciństwa kącik ust uniósł się wyżej. Mężczyzna rzucił parę słów do dziewczyn, te obejrzały się na Lilkę z zazdrością i rozczarowaniem, a on podszedł do niej, zagarnął ramieniem i – zupełnie jakby rozstali się wczoraj, zupełnie jakby dwa lata temu nic się nie wydarzyło – powiódł przez park do czekającego po drugiej stronie rynku samochodu.

– Wybaczyłeś mi? – Musiała się upewnić, nim wsiadła do środka.

– Zawsze będę ci wybaczał. Już taki mój los, Lilith – westchnął.

Pieszczotliwym gestem założył kosmyk włosów za ucho dziewczyny i delikatnie acz stanowczo popchnął ją na siedzenie pasażera.

Po chwili jechali w stronę Zagrodziny, ale tuż przed pierwszymi zabudowaniami Aleksiej skręcił w las.

– Czy myśmy się kiedykolwiek całowali? – rzucił, zatrzymując auto.

Posłała mu spłoszone spojrzenie.

– T-tak. T-trochę.

– Ej, nie bój się mnie! – Uniósł bezwładną dłoń dziewczyny do ust. – Przyrzekałem, że cię nie tknę i dotrzymam przyrzeczenia.

– Naprawdę? – W jej głosie zabrzmiało mimowolne rozczarowanie, bo po raz pierwszy to nie na nią się rzucano, a ona czuła palące pożądanie. Podbrzusze płonęło od pierwszej chwili, gdy go zobaczyła, serce łomotało tak głośno, że musiał to słyszeć, traciła oddech za każdym razem, gdy na nią patrzył, a gdy dotykał jej dłoni, tak jak teraz... jeszcze chwila i zemdleje!

– Lilou, nie patrz na mnie z takim głodem w oczach, bo jednak złamię moje przyrzeczenie – zaśmiał się, chcąc ukryć za tym niskim, gardłowym śmiechem własne pragnienia. – Nadal jesteś niepełnoletnia i nadal poszedłbym siedzieć, gdybym ciebie skosztował. – Na to słowo: „skosztował", Lilka poczuła ból w całym ciele, aż musiała przygryźć wargę, by nie jęknąć.

Widział to. Był świadom, że dziewczyna jest więcej niż gotowa, mimo to wypuścił jej dłoń ze swej dłoni i zapatrzył się w drogę przed nimi, dając Lilce czas na ochłonięcie.

– Jesteś jeszcze piękniejsza, niż zapamiętałem – rzekł ni to do niej, ni do siebie, a dziewczyna po raz pierwszy poczuła wdzięczność do losu za swoją urodę. Tylko to miała, by zatrzymać Aleksieja przy sobie. Nic więcej. – Pewnie twój chłopak często ci to powtarza.

– Nie mam chłopaka – wyszeptała. – Czekam na ciebie. – Podniosła na niego pełne nadziei, ale i obawy oczy, teraz nie błękitne, a granatowe.

Ujął jej twarz pod brodę, zapatrzony w te dwa jeziora namiętności i niespiesznie, delikatnie zaczął całować miękkie, zapraszające usta dziewczyny.

Oderwał się na chwilę, pogładził kciukiem policzek, westchnął z głębi serca:

– *Bohu moj*, jak ja tego pragnąłem…

Przytrzymała rękę mężczyzny, tak gorącą, że niemal parzyła.

– Ja też – szepnęła, bojąc się odezwać głośniej, by nie spłoszyć cudownej chwili.

Wtuliła usta w zagłębienie jego dłoni. Z trudem powstrzymał jęk. Wyswobodził się, oparł czoło na jej czole i długie chwile odzyskiwał panowanie nad ciałem.

– Chodź, przejdźmy się, póki mnie nie poniosło – mruknął, otwierając drzwi samochodu.

Lilka zamrugała jak obudzona z sennego marzenia. Ona chce, by go poniosło! Chce, by zapomniał o całym świecie, wziął ją w ramiona, zaczął całować tak, jak przed chwilą, żeby stracił kontrolę, dał się porwać pożądaniu i… dopełnił planu, który Lilka już dwa lata temu dlań obmyśliła.

Teraz musiała jednak wyjść z samochodu i ruszyć za nim. Zrównała się z mężczyzną. Zacisnął palce na jej ręce i dalej szli razem, tak, jak powinni iść przez życie do tej pory i już zawsze.

– Przyjechałeś po mnie? Zabierzesz mnie ze sobą? – Głos dziewczyny zadrżał. Jeśli Aleksiej zaprzeczy, chyba się rozpłacze…

Zaprzeczył.

– Wyjeżdżam na studia. Chcę się z tobą pożegnać i prosić, byś na mnie czekała.

Stanęła jak wryta. Piękną buzię wykrzywił grymas.

– Znów mnie zostawiasz?! Znów coś jest ważniejsze niż mój parszywy los?! Niż moje uczucia?! Mogę jechać z tobą! Przenieść się do innego liceum! Nic mnie tutaj nie trzyma! Ani ojciec degenerat, który po pijanemu zaczyna się do mnie dobierać, ani macocha, która sama zaczęła popijać, ani…

– Coś ty powiedziała? – zapytał powoli, ściskając jej rękę tak mocno, że aż zabolało. – Ojciec zaczyna się do ciebie dobierać?

– Och, czasem mu odbija. – Wzruszyła ramionami. Nie chciała zmiany tematu. – Ale przed nim potrafię się obronić, natomiast przed nienawiścią ludzi ze wsi i ze szkoły już nie! Obiecałeś poprzednim razem, że… – Nic nie obiecywał. Mówił, że pójdzie na studia. Mówił, że za parę lat się z nią ożeni, ale niczego nie obiecywał.

– Lilou, nadal jesteś niepełnoletnia – zaczął miękkim, przepraszającym tonem. – Twój ojciec nie odda mi ciebie. Musisz skończyć osiemnaście lat i wtedy… wtedy może będziemy razem, jeśli uda mi się zapracować na rodzinę.

– Ja mogę pójść do pracy! Po co mi szkoły! Chcę być z tobą, chcę uciec z tego miejsca, rozumiesz?!

Rozumiał, ale mógł tylko w milczeniu słuchać jej krzyku, a potem płaczu.

Mógł obejmować jej drżące plecy, gładzić dziewczynę po włosach i… milczeć. Każde słowo, które wypowie, będzie nie takie, jakie ona chce usłyszeć.

Każdym słowem może się pogrążyć. Każde poprowadzi do przyrzeczeń, których nie mógł dotrzymać. A Aleksiej Dragonow nie rzucał słów na wiatr.

– Aluś, Aleksiej, nie chcę ciebie tracić – szeptała, tuląc się do mężczyzny coraz rozpaczliwiej. Znów – jak dwa lata temu – zarzuciła mu ręce na szyję, całując jego usta zaciśnięte w wąską kreskę. Tamten podły pomysł, zrodzony przed laty, znów zaświtał jej w głowie. Przylgnęła do Aleksieja, niemal zatapiając się w nim, jednocześnie natarczywa, zachęcająca, uległa. I czuła, jak jego ciało zaczyna odpowiadać na te pieszczoty.

On mógł mówić sobie, co chce, lędźwie go jednak zdradzały.

Otarła się o nie podbrzuszem. Chciał ją odepchnąć, ale nie pozwoliła na to. Całowała go coraz namiętniej, aż mężczyzna nie miał więcej siły i zagarnął dziewczynę ramieniem, wcisnął plecami w pień najbliższego drzewa i naparł na nią całym ciałem.

„O, taaak" – westchnęła Lilka w duchu – „O to chodziło... Teraz cię mam".

Myliła się.

Aleksiej poruszył parę razy biodrami, jęknął przeciągle i... było po wszystkim.

Cofnął się gwałtownie, patrząc z niedowierzaniem w dół, gdzie na spodniach rosła zdradziecka plama. Pokręcił głową, unosząc na dziewczynę niemal przerażone spojrzenie.

– Co ty ze mną robisz, Lilith – wyszeptał.

– Przepraszam – wyjąkała, nic nie rozumiejąc. To już? Tylko tyle? Chwila przytulanek, parę ruchów i to wszystko? A gdzie gorączkowe zdzieranie z siebie ubrań? Gdzie nagie ciała splecione w miłosnym uścisku? Gdzie pogoń za spełnieniem? Cudowna podróż na szczyt rozkoszy? Gdzie w końcu jej zaspokojenie?

Drżała jak koń, co miał biec w wyścigu, ale bramka zamknęła się tuż przed jego nosem, jak spragniony wody wędrowiec, który ostatkiem sił dopadł studni i widzi, że ta dawno wyschła. Między nogami czuła wilgoć i żar, który on, Aleksiej, mógł zaspokoić jednym pchnięciem, zamiast tego dostała...

– Poczekaj. Poczekaj, kochana moja. – Mężczyzna przytulił bliską łez dziewczynę, pocałował wilgotne oczy. – Doprowadzę się do porządku i wrócę. Poczekaj, *malieńkaja*...

Zniknął w samochodzie, by po paru nieskończenie długich chwilach powrócić.

Uniósł półprzytomną z gorączkowego oczekiwania dziewczynę, poszedł głębiej w las, by złożyć ją na miękkim mchu. Podciągnął sukienkę, pogładził nieskończenie czułym gestem gładkie szczupłe udo i pieszczotą doprowadził ukochaną aż na krańce rozkoszy.

Gdy opadła bez sił, szepcząc jego imię i leżała bez tchu, bez ruchu, pochylił się nad nią z miłością w oczach i... nie rzekł nic, choć czekała na jego słowa. Pocałował tylko nabrzmiałe usta dziewczyny, ale nie rzekł nic.

Liliana musiała się zatrzymać. Upuściła torbę, przysiadła na pniu ściętej jodły i ukryła twarz w dłoniach.

Wspomnienia wracały, wraz z nimi powracały łzy. Zarówno te dobre, które rozjaśniały oczy na widok Aleksieja – jedynej miłości życia, jak i te gorzkie, gdy odchodził. Teraz jednak pod powiekami zapiekł wstyd i żal.

– Jakaż byłam podła i głupia, Aleks – zaszeptała łamiącym się głosem.

Już miała rozkleić się całkiem, gdy nagle... zacisnęła zęby tak, że aż chrupnęło.

– Najwyższy czas, byś odpokutowała za te wszystkie grzechy. Wstawaj, kretynko, i ruszaj w drogę albo od razu powieś się na najbliższym drzewie i uwolnij wreszcie świat od swojej parszywej osoby. Nie, nie świat, a nieszczęsnego Aleksieja...

To były dobre słowa. Okrutne, jednak podziałały na kobietę jak zimny prysznic. Tego było jej trzeba.

Ujęła rączkę torby i raźno ruszyła przed siebie. Bruk został daleko za nią. Szła teraz koleinami, wyjeżdżonymi przez wozy. Jeszcze paręset metrów i... tak! To znajomy strumień! Z westchnieniem ulgi skręciła w wąską dróżkę wiodącą w górę potoku. Miał doprowadzić Lilianę do domu.

Słońce zaszło. Ziąb owionął kobietę. Przyspieszyła kroku. Dróżka z każdym krokiem nikła wśród mchów i niskich traw, aż wreszcie... pozostał tylko skaczący z kamienia na kamień potok. Czyżby nikt już tędy nie chadzał? Koszmar senny o opuszczonym domu ma się spełnić?

Liliana znów poczuła strach szarpiący serce i zwątpienie sączące się w głąb duszy.

Nadszedł czas, by wyjąć telefon i poprosić Aleksieja o pomoc. Jednak komórka nie miała zasięgu.

Liliana uniosła wzrok. Nad głową rozpościerał się parasol z gęstych jodłowych gałęzi. Gdy wyjdzie na polanę i ujrzy nad sobą czyste niebo, wtedy na pewno złapie zasięg. Wtedy nie będzie musiała w ogóle dzwonić, bo przecież Aleksa zastanie w domu. Musi w to wierzyć!

Cisnęła bezużyteczny telefon do torby i poszła dalej, nadal trzymając się potoku. Było coraz ciemniej, ale kobieta z uporem szła naprzód.

I nagle... jak za pstryknięciem kontaktu, zapadły zupełne ciemności. Jeszcze chwilę wcześniej widziała kamienne koryto, w którym płynął strumyk, teraz słyszała jedynie jego szum. Stanęła jak wryta, nie widząc nic na wyciągnięcie ręki.

Noc była bezgwiezdna. Księżyc w nowiu zasłaniały nie tylko chmury, ale i gałęzie drzew. Liliana, tkwiąc bez ruchu w czarnym, mroźnym powietrzu, po raz pierwszy poczuła prawdziwy strach. Dom mógł stać na polanie tak jak trzydzieści lat temu, ale ona sama mogła nigdy doń nie dotrzeć. Ile czasu zajmie mroźnej zimowej nocy pozbawienie człowieka odzianego w kurtkę, czapkę, buty traperki i skórkowe rękawiczki zdrowia, a nawet życia?

Po plecach przebiegł dreszcz.

– Rusz się, idiotko! Nie możesz tu tkwić, bo zamarzniesz!

Łatwo powiedzieć, jak jednak zrobić krok, gdy nie widać wyciągniętej dłoni?

Jednak oczy powoli przywykały do mroku, a noc okazała się nie taka ciemna, jak w pierwszym pełnym grozy momencie. Nikłe światło księżyca odbijało się w cienkiej warstewce śniegu i Liliana mogła zrobić pierwszy krok, potem następny, by powoli, trzymając się strumienia, ruszyć dalej. W górę, wciąż w górę. Do domu...

Nagle aż osłabła z ulgi.

W oddali, po lewej stronie zamigotało światełko.

Kobieta bez namysłu, choć może powinna zatrzymać się i przyjrzeć ognikowi dokładniej, skręciła w tamtą stronę i – potykając się, tracąc równowagę na mchu i kamieniach, po czym ją odzyskując – pobiegła przed siebie.

Mijała pnie wyniosłych sosen, tak grube, że kilka osób nie zdołałoby ich objąć. Nisko zwisająca gałąź nie raz i nie drugi chlasnęła ją po twarzy, jednak Liliana nie zważała na nic.

– Do domu, do domu – szeptała gorączkowo, by wreszcie zatrzymać się, zziajana, zgrzana i... skamieniała z przerażenia. Światełko zniknęło albo w ogóle go nie było. Może ujrzała odbicie księżyca w lodowym soplu? Może ognik był wytworem umysłu spragnionego odpoczynku w ciepłym, jasnym domu? Tego Liliana nie wiedziała i nie chciała wiedzieć, bo oto stała wśród milczącego złowrogo, ciemnego lasu. Strumień znikł. Jego śmiech umilkł. Nic nie mogło już doprowadzić kobiety do polany i domu, do Nadziei...

Usiadła ciężko i po raz setny wyjęczała imię mężczyzny:

– Aleksiej... Pomóż mi!

– Aleksiej, pomożesz mi?! – Lilka przechyliła się przez belkę biegnącą wzdłuż stodoły, patrząc na mężczyznę wchodzącego do środka. Zmrużył oczy, przyzwyczajając wzrok do półmroku, i spojrzał w górę.

Dziewczyna, odziana w sukienkę, z chusteczką przytrzymującą włosy i drobinkami światła tańczącymi wokół głowy, wyglądała zjawiskowo. Aż wstrzymał oddech, czując żar w podbrzuszu. Zapach siana, rozgrzane powietrze i widok ukochanej kobiety działały jak najlepszy afrodyzjak.

Mimo połowy września pogoda dopisywała, słońce grzało mocniej niż w letnie miesiące i ojciec Lilki po raz kolejny skosił łąkę za domem. Do obowiązków dziewczyny należało w dzisiejszym dniu rozładowanie wozu wypełnionego sianem. Miał przyjść do pomocy Maciej Kundera, ale że od czasu pamiętnej bijatyki schodził Aleksiejowi z oczu, pojawił się ten ostatni. Stał teraz z zadartą głową i patrzył na gołe, opalone nogi dziewczyny. Myśli mimowolnie biegły wyżej, do rozkosznego miejsca, gdzie te nogi się kończyły…

– Opanuj się – mruknął do siebie.

Chwycił za widły stojące pod ścianą i w trzy sekundy był na górze. W następnej chwili przerzucał snop siana z wozu na sąsiek. Lilka przechwyciła go i ułożyła pod ścianą.

Pracowali tak ponad godzinę, przekomarzając się i żartując. Czasem rozmowa schodziła na poważniejsze tematy, ale oboje omijali ten dotyczący wyjazdu Aleksieja na studia. To już jutro. Spakuje ostatnie rzeczy, zabierze je stąd, z Zagrodziny i wsiądzie do czerwonego auta, by nie wrócić już nigdy, a jeśli nawet, to nie na stałe, raczej, żeby odwiedzić dawne kąty... no i ją, Lilkę.

Dziewczyna była boleśnie świadoma rozstania.

Owszem, uśmiechała się ślicznie do chłopaka i odpowiadała żartem na żart, jednak całą sobą czuła strach i ból przed rozstaniem.

Musi, po prostu musi coś zrobić teraz, zaraz, póki nie jest za późno! Póki ma go jeszcze w zasięgu ręki! Przecież to potrafi! Już raz Aleksieja prawie uwiodła, parę dni temu, w lesie! Miał... miał spełnienie, więc Lilki pragnie, ale jeśli tak...

– Nie jesteś spragniony? – zapytała niewinnie, posyłając mu pełne obietnic spojrzenie i słodki uśmiech.

– Ciebie? Zawsze! – Jednym skokiem był przy dziewczynie, zagarniał ją ramieniem i rzucał na miękkie pachnące siano. Pisnęła i zaśmiała się, próbując uwolnić się z objęć chłopaka, ale trzymał mocno, szukając ustami jej ust.

Uciekała głową, czując na sobie jego szczupłe, umięśnione ciało, a w sobie narastające pożądanie. Wreszcie przytrzymał jej twarz dłońmi i... zaczął całować.

Od tamtego dnia w lesie Aleksiej całował ją nie raz i wiedziała, że gdy zacznie, będzie zdana na jego łaskę i niełaskę, niemal mdlejąc z rozkoszy, bo też ten mężczyzna całował z biegłością niepoprawnego uwodziciela. Sam jednak swoją namiętność kontrolował, nie pozwalając sobie na nic więcej niż to całowanie.

Aż do dziś.

Może to zapach siana odurzył umysł? Może bliskość ukochanej dziewczyny, tuż obok, na wyciągnięcie głodnych rąk, widok jej pięknych, namiętnych ust, pełnych piersi, szczupłych ud, a przede wszystkim błękitnych oczu płonących tym samym pragnieniem, które trawiło i jego?

Usta stały się coraz bardziej natarczywe, rozpalone dłonie błądziły coraz niżej, ona garnęła się do niego coraz mocniej, aż – nie wiadomo właściwie jak i kiedy – zatracili się w tym szaleństwie zupełnie.

Nagle ona – naga i piękna (gdzie podziała się sukienka?) – zdzierała koszulę z ramion mężczyzny, on gorączkowo rozpinał spodnie i... już szukał tego miejsca, gdzie mógł dać upust odbierającemu zmysły pożądaniu. Ona sięgnęła w dół, pomagając jego męskości znaleźć drogę.

Znieruchomiał, czując dotyk dłoni.

– Nie, Lilou, nie! – zaszeptał, próbując oderwać się od dziewczyny, ale zakwiliła niczym umierający ptak i przylgnęła do niego jeszcze silniej. – Lilou, tak nie wolno... Ja już dłużej nie wytrzymam... Jeśli teraz mnie nie puścisz... Jeśli nie odejdę natychmiast...

– Chodź, chodź do mnie. Ja tego chcę, ja... ja cię nie puszczę... Jeśli teraz odejdziesz, zabiję się...

Naparła lędźwiami na jego podbrzusze, wbiła paznokcie w jego nagie plecy, pociągając go na siebie i już wiedział, że nie zdoła się powstrzymać, nie cofnie się, nie zostawi ani jej – rozpalonej, gorącej, wilgotnej – ani siebie, chorego z miłości i pożądania.

Jednym silnym ruchem wbił się w jej płeć. Krzyknęła z bólu i zaskoczenia. On zamarł, wpatrzony w szeroko otwarte, niemal czarne oczy dziewczyny.

– Już, już, *malieńkaja* – zaszeptał, scałowując łzy z jej powiek. – Musiało zaboleć, ale pozwolisz... Pozwolisz na więcej?

Skinęła głową, nie mogąc wydobyć głosu.

Bolało. Wiedziała, że pierwszy raz boli, ale... pragnęła tego mężczyzny mimo bólu, nie, nie ona: jej ciało pragnęło Aleksieja rozpaczliwie. Mimowolnie wysunęła biodra do przodu, przyjmując go głębiej. Całując usta, oczy, szyję dziewczyny, zaczął – na początku delikatnie, czule, powoli, potem coraz szybciej, coraz gwałtowniej i zachłanniej – brać jej ciało w posiadanie. Pojękiwała z narastającej rozkoszy, nie zważając już na ból pierwszego razu. On zacisnął powieki, wygiął ciało w łuk i brał ją, raz za razem, szybko, coraz szybciej, coraz silniej. Palce dłoni splótł z jej palcami, by nikt, nikt na całym świecie nie mógł tych dwojga rozdzielić i już mieli oboje pognać do końca, po kres rozkoszy i zapomnienia, gdy...

– Ty skurwysynu, gwałcisz mi córkę!

Na wściekły syk Borowego Aleksiej poderwał się, dopinając pospiesznie spodnie, a Lilka krzyknęła i zaczęła cofać się w panice, szukając po omacku sukienki.

Stach stał na szczycie drabiny, pobladły z furii. Przekrwione oczy utkwił w chłopaku. Nagle, szybko niczym atakujący kocur, wspiął się na sąsiek i z widłami w rękach ruszył na Aleksieja. Ten cofnął się aż pod ścianę stodoły. Dalej nie mógł. Ostre i zimne zęby wbiły się mu w brzuch, raniąc skórę.

– Stach, nie!!! – krzyknęła przerażona Maria, która przyszła tu za mężem, przerzucać siano. – Opanuj się! Zostaw go! Zadźgasz gnoja, a pójdziesz siedzieć jak za człowieka! Zostaw, mówię, odstąp! – Próbowała wyrwać mu narzędzie z rąk, ale nie puszczał, dysząc ciężko, jakby sam za chwilę miał eksplodować.

– Dzwoń po psy – wydusił wreszcie, po kilku niekończących się minutach. – Chcę widzieć skurwiela w pierdlu.

– Pójdę, zadzwonię – zgodziła się miękko Maria – ale zostaw to.

– Nie! Dzwoń! Przyjadą, to oddam im gówniarza!

Kobieta zniknęła.

Zostali we troje: łkająca w kącie Lilka, znieruchomiały pod ścianą Aleksiej i Borowy, też nieruchomy, wbijający końce wideł w brzuch chłopaka. Mierzyli się takim samym nienawistnym wzrokiem, ale nie padło ani jedno słowo.

Wreszcie gdzieś z podwórza dobiegł sygnał policyjnego radiowozu i po chwili do stodoły weszło dwóch mężczyzn w mundurach.

– Co jest, panie Borowy? – krzyknęli, patrząc w górę.

– Złaź! – syknął Stach do Aleksieja.

Chłopak ruszył ku drabinie.

Borowy patrzył za nim przez chwilę, po czym powoli przeniósł spojrzenie na córkę – Lilka skuliła się jeszcze bardziej, próbując zakryć nagość pomiętą sukienką – i równie powoli wyciągnął ze spodni skórzany pas. I jak nie chlaśnie nagich ramion dziewczyny, z pasją, na odlew. Jak nie poprawi z drugiej strony.

Zawyła z bólu.

Aleksiej, który był już w połowie drabiny, ruszył z powrotem.

Borowy z furią okładał dziewczynę ciężkim pasem.

– Ty kurwo! Ruskiemu dupy dajesz, szmato jedna?! Zabiję cię, suko, ubiję, jak Boga kocham!

Chłopak skoczył mu na plecy. Borowy, nieprzytomny z furii, strząsnął go z siebie, nawet tego nie zauważając.

Sprzączka trafiła Lilkę w czoło, rozorała skórę, twarz dziewczyny zalała się krwią. I w tym momencie...

– To on, tatusiu! Nie bij! To jego wina! Ja nie chciałam! Broniłam się! Ale on... Zgwałcił mnie, tatuniu! Jego bij, nie mnie!!!

Aleksiej, który na widok zakrwawionej Lilki gotów był zamordować Borowego gołymi rękami, oniemiał. Nie wierzył, po prostu nie wierzył w to, co widzi i słyszy! Ta, która pociągnęła go na siebie, która nie tylko zachęcała, ale wręcz go uwiodła, teraz oskarża go o gwałt?!

Borowy zamachnął się. Uderzenie spadło na twarz chłopaka. Sprzączka przecięła tym razem jego policzek i to on zaczął krwawić.

Jeden z policjantów wspiął się po drabinie. Przez chwilę patrzył, jak Borowy okłada chłopaka pasem, po czym beznamiętnie przerwał tę jatkę:

– Złaź, gnoju, nim Stach cię ubije. Pojedziesz z nami. Stachu, daruj już sobie, bo ci żyłka pęknie i do piachu pójdziesz. Gówniarz dostał, co jego. Jeszcze posadzimy go na dołku z takimi, co nie lubią za jurnych chłopaczków, którzy cudze córki gwałcą, i będzie miał za swoje. Złaź, mówię ci! – Szarpnął Aleksieja za nogawkę.

Ten ocknął się ze stuporu, w jaki popadł, słysząc oskarżenia Lilki. Jednym susem był na wozie z sianem. Już zeskakiwał po drugiej stronie. Sekunda – dwie i nie pozostał po nim ślad.

Oprócz krwi na udach dziewczyny.

– Ubieraj się, dziwko – warknął Borowy na ten widok i przełknął głośno ślinę, czując, jak mu w spodniach rośnie. – Jeszcze z tobą nie skończyłem.

Posłusznie, drżącymi rękami włożyła sukienkę przez głowę. Ojciec nie odwrócił wzroku. Wtedy, gdy wkładała majtki, także nie. Nie miał zamiaru dobierać się do córki, ale spojrzenia oderwać od młodego, pięknego ciała nie mógł.

Wreszcie szarpnął ją za ramię i pchnął w kierunku drabiny.

– Stachu, mamy zwinąć gnoja? Twoja córcia złoży doniesienie?

Namyślał się chwilę, po czym pokręcił głową.

– Swoje brudy wypiorę we własnym domu – odmruknął. – A jak córcię jeszcze raz dorwę z byle kundlem… – Nie musiał kończyć. Krew nadal ściekała dziewczynie po twarzy. Nie musiał się też obawiać tego „kundla", bo Aleksiej zniknął.

Miała go spotkać po kilku długich, samotnych latach.

Jak ja strasznie za tobą tęskniłam… Jak żałowałam swojej podłości i tchórzostwa… Jakżeż sobą gardziłam…

Znów zamykałam się w łazience, nawet gdy dom był pusty, chwytałam żyletkę i… zadawałam sobie ból, jednocześnie karząc siebie za to, co ci zrobiłam, jak i zagłuszając ból po twojej stracie. A potem plułam na swoje odbicie, gardząc sobą za tę słabość jeszcze bardziej.

Co było następne?

Prochy. Podkradałam z apteczki, co było pod ręką i łykałam niczym gęś tłuste kluski: garść tabletek z krzyżykiem, pabialginę, coś przeciwkaszlowego, wreszcie – jeśli apteczka była pusta – łapałam tubkę z butaprenem i po paru sztachnięciach odlatywałam do krainy nigdy-nigdy. Miałam słabą głowę. Dlatego nie szukałam zapomnienia w alkoholu: parę prób skończyło się w zarzyganej łazience, z potężnym kacem następnego dnia i dziurą w pamięci. Na kilku imprezach też urwał mi się film i gdy raz ocknęłam się w krzakach, z udami mokrymi od spermy, przerażona postanowiłam: nigdy więcej chlania w towarzystwie. W samotności – klej, prochy, wódka – owszem, ale żadnych kumpli do kieliszka, którzy mogą zarazić jakąś wenerką, albo – co gorsza – posiać bachora.

Dobrze, że nie widziałeś mnie w tamtych dniach, Aleksiej. Dobrze, że nie byłeś świadkiem mojego upadku. Nie słyszałeś, jak klęłam cię i obwiniałam za to, co sama sobie zgotowałam.

Ile lat to trwało? Do końca liceum, które z trudem udało mi się skończyć. Maturę zdałam ledwo, ledwo, z łaski nauczycieli. Przede mną były studia, do których przymuszał mnie ojciec.

– Moja córka ma być kimś! – powtarzał, śliniąc się nad butelką taniego bimbru. – Skończy szkoły, dostanie pracę w urzędzie i będzie wielką panią, nie to, co wy! – Tu toczył wzrokiem po nachlanych kumplach.

Mimo że chciałam iść na turystykę i hotelarstwo – w marzeniach wciąż widziałam siebie i Aleksieja na jachcie, przemierzających morza i oceany świata – poszłam na ekonomię. Jakim cudem się dostałam? Nie wiem. Mogę się tylko domyślać, czemu moje zdane na tróje egzaminy zbiegły się ze sprzedażą sporego kawałka ziemi i dziką awanturą oraz odejściem Marii.

Mnie to, co się działo w domu, nie obchodziło. Chciałam się stąd wyrwać za wszelką cenę. Nawet jeśli miała być to utrata paru hektarów czy rozwód ojca z macochą.

Do rozwodu nie doszło – wróciła po paru miesiącach, ja już wtedy byłam studentką Akademii Ekonomicznej w Krakowie.

Gdy ponownie pojawiłeś się w moim życiu, było za późno. Na wszystko już było za późno...

CZĘŚĆ III

Ofiara losu

Liliana roztarła zgrabiałe ręce.

Pierwsza panika minęła. Bieg na oślep – tym razem w stronę strumienia – skończył się potknięciem i bolesnym stłuczeniem kolan. Do potoku nie dotarła. Jego szumu też nie słyszała. Możliwe, że kręciła się w kółko.

Przysiadła więc teraz na podróżnej torbie, rozcierając zmarznięte dłonie i zaczęła na spokojnie oceniać swoją sytuację – czy raczej – grozę sytuacji. Była sama w mroźną noc w ciemnym, górskim lesie. Do strumienia – by nim trafić ku cywilizacji – nie dojdzie. Nie odnajdzie drogi. Musi tu przenocować.

Co opowiadała ciotka Anastazja dwojgu małym piechurom całe wieki temu? „Znajdź schronienie przed wiatrem, mrozem i dzikimi zwierzętami". No tak, o wilkach, rysiach czy niedźwiedziach Liliana nie pomyślała, ale co mogła zrobić? Na żadną z jodeł nie uda jej się wspiąć, ostrego narzędzia nie posiada, zresztą i tak nie potrafiłaby zadać ciosu żywej istocie. Jedyne, co może uczynić, to znaleźć namiastkę szałasu i... już widziała coś, co da się wykorzystać: grupę świerków rosnącą niedaleko z nisko zwisającymi gęstymi gałęziami.

Kobieta pokuśtykała w tamtym kierunku.

„Nie wolno siedzieć ani spać na gołej ziemi!" – to było kolejne przykazanie Anastazji. – „Umość sobie posłanie z liści czy igliwia. Wszystko lepsze od zimnego podłoża".

Liliana nagarnęła świerkowych igieł pod jedną choinę, której gałęzie tworzyły naturalny szałas. Mimo śmiertelnego wyczerpania i przerażenia kobieta uśmiechnęła się. Radzi sobie! Aleks, byłbyś ze mnie dumny!

„Rozpal ognisko". O dziwo, to było najłatwiejsze do spełnienia: na czarną godzinę Liliana ukryła paczkę papierosów i zapalniczkę, nie mając oczywiście pojęcia, że będzie ich potrzebowała do przeżycia tej nocy.

Igliwie było suche, od razu zajęło się ogniem. Znalezienie grubszych gałęzi też nie stanowiło problemu. Jedynym, z czym próbowała walczyć, był teraz sen. Nie spała drugą dobę. Oczy same się jej zamykały.

Zdrzemnie się przy mile trzaskającym ogniu choć na chwilę... tylko przymknie piekące z niewyspania powieki...

Ocknęła się jakiś czas później.

Ogień dogasał, na szczęście nie zagrażając otoczeniu. Liliana była na tyle przytomna, rozpalając go, że wykopała najpierw płytki dołek, odgarnęła wszystko, co mogło zająć się od płomieni, i dopiero wtedy rozpaliła niewielkie ognisko. Teraz dorzuciła parę gałęzi, aż znów strzeliły iskrami, owinęła się ciaśniej wszystkimi rzeczami, które znalazła w torbie i zapatrzyła w hipnotyzujące płomienie...

Nie odmawiała żadnemu. To o niej, Lilce Borowej, mówili w całej Akademii z przekąsem i przymrużeniem oka „stu-dentka".

– Masz ochotę na bara-bara? Liczysz na szybki numerek w ciemnym korytarzu? Marzy ci się dobry seks bez zobowiązań? Zgłoś się do Lilki-stu-dentki, ona jest zawsze chętna.

Dlaczego? Czyżby ze skromnej, surowo wychowanej dziewczyny stała się nimfomanką? Nie. Lilka rozpaczliwie chciała być kochana. I w swej naiwności pomyliła miłość z seksem.

Na początku studiów, pamiętając jeszcze każdy pocałunek Aleksieja, każde dotknięcie jego dłoni, spełnienie, jakie osiągała dzięki pieszczotom i ten słodki ból, który jej zadał pewnego wrześniowego popołudnia, żyła tylko tymi wspomnieniami. Nosiła je w sercu, pielęgnowała pamięć o chłopaku, wierząc, że on któregoś dnia wróci i wtedy Lilka powie mu z dumą: byłam ci wierna, czekałam na ciebie.

Ale płynęły samotne miesiące, minął rok, potem drugi, a Aleksiej nie wracał.

Lilka dzwoniła do Anastazji, pytała o niego, czasem – tego była pewna, on sam odbierał telefon, ale słysząc ciche pytanie: „To ty, Aluś?", bez słowa odkładał słuchawkę.

Anastazja również nie chciała z nią rozmawiać. Nie po tym, co Lilka uczyniła jej przybranemu synowi. Nie wiadomo, czy Aleksiej zwierzył się ciotce ze wszystkich wydarzeń tamtego dnia, ale znów wrócił pobity, znów miał ubranie w strzępach i tego Anastazja po prostu Lilce nie darowała.

Nie, jednak musiał coś ciotce powiedzieć, bo któregoś dnia warknęła do słuchawki:

– Z kim ty chcesz rozmawiać? Z gwałcicielem? Znajdź sobie inną ofiarę swojej perfidii i kłamliwości, a nam daj spokój!

Lilka nie mogła pogodzić się z tą stratą. Za parę tygodni znów dzwoniła, znów pytała pokornie: „Czy mogę rozmawiać z Aleksiejem?", by znów usłyszeć: „Nie ma go w domu" albo: „Nie chce z tobą rozmawiać".

Dziewczyna poddała się na drugim roku ekonomii, z przerażeniem konstatując, że znów jest sama. Tak jak do tej pory, jak w dzieciństwie, jak w podstawówce i liceum, dookoła niej toczy się życie, koleżanki i koledzy kochają się i rozstają, śmieją się razem, chodzą do knajpek czy do kina i tylko ona żyje poza nawiasem społeczeństwa. Egzystuje zgorzkniała i smutna gdzieś na peryferiach studenckiego życia, obok najrozmaitszych nieudaczników czy typów tak nieprzyjemnych i wrednych, że nikt nie chce mieć z nimi do czynienia.

A Lilka pragnęła być kochana! Jeśli nie przez Aleksieja, to przez... kogokolwiek.

Przychylność koleżanek z akademika zaczęła kupować drobnymi prezentami, które z czasem stały się nie takie drobne. Dobre perfumy, wypady do klubu – Lilka stawia, markowe ciuchy... tego zaczęły się domagać dziewczyny, wiedząc, że głupia Borówka nie odmówi. Na coraz droższe utrzymanie córki Stach musiał poświęcić kolejny kawałek gospodarki.

Koledzy byli tańsi: im wystarczyło, że najpiękniejsza dziewczyna na roku, a może w całej Akademii, rozłoży przed jednym, drugim czy dziesiątym swe śliczne, długie do szyi, zgrabne, opalone nogi. Rzucali potem za nią sprośne uwagi, podszczypując dziewczynę po pupie, czasem któryś objął ją gestem posiadacza czy skradł buziaka, a Lilka? Czerwieniła się, słysząc pikantne żarty na swój temat, czasem wtórowała śmiechem, widząc jednak przychylność kolegów, dalej brnęła w handel własnym ciałem i własnymi uczuciami.

Bo nie lubiła seksu.

Owszem, nauczyła się świetnie udawać orgazm – każdy facet dawał się zwodzić i chwalił się potem, że

Borówka szczytowała pod nim pięć razy pod rząd – ale tak naprawdę Lilka nie czuła nic. Oprócz obrzydzenia do samej siebie i swoich kochanków.

„Naprawdę jesteś taki głupi, żeby nie poznać, że gram? Taki ślepy, żeby nie widzieć nienawiści w moich oczach i zębów zaciśniętych nie z rozkoszy, a z gniewu?" – takie pytania przelatywały jej przez myśl, gdy spod przymkniętych powiek przyglądała się coraz to nowym kochankom.

Wiedziała jedno: Aleksiej rozgryzłby ją w trzy sekundy. Zresztą przy nim nie musiałaby udawać. On wsunąłby dłoń w jej włosy i odgiął głowę do pocałunku, a Lilka już w tym momencie zaczęłaby odpływać. Była tego pewna. Wspomnienie tego jednego razu ratowało ją od szaleństwa.

Gdy zostawała sama – choć w przepełnionym akademiku samotność była rzadkim luksusem – wyciągała pocieszycielkę-żyletkę.

„Gdybyście wiedzieli, co naprawdę o was myślę, jak wami gardzę. Niemal tak bardzo, jak sobą"… – I patrzyła na krew płynącą z ranki, z przymkniętymi oczami chłonęła ból, który na chwilę zagłuszał ten większy. Ból straty ukochanej osoby. Straty przez własną podłość i głupotę.

Z miesiąca na miesiąc Lilka pogrążała się coraz bardziej. Znów zaczęła pić, by łatwiej znosić umizgi wiecznie niezaspokojonych młodych samców. Znów sięgnęła po prochy, choć od narkotyków, które w akademiku były łatwo dostępne, trzymała się z daleka. Wystarczy, że całe stypendium dla studentów z ubogich rodzin i wszystkie pieniądze od ojca wydawała – po opłaceniu pokoju i wykupieniu obiadów – na prezenty. Tego brakowało, by trwoniła je na coś więcej niż tabletki przeciwbólowe czy żołądkową gorzką...

Wiedziała, wprost czuła, że nadchodzi koniec. Ten obłęd musiał się jakoś skończyć. I rzeczywiście – skończył się jeden, a zaczął zupełnie inny.

Nie miałam pojęcia, z kim wpadłam, kto będzie tatusiem mojego dziecka. Co za wstyd... Musiało się to przytrafić podczas zakrapianej balangi, na której złamałam żelazną zasadę: „Nie pij przy innych", i po paru głębszych z moją słabą głową osunęłam się pod stół. Tam pewnie któryś wziął, co chciał, zostawiając w zamian to, czego ja nie chciałam.

Gdy ujrzałam dwie kreski na teście ciążowym, wpadłam w panikę. Co robić?! Usunąć?! Urodzić?! Ojciec mnie zabije!!! Tak, to była następna myśl, która po prostu mnie zmroziła. Gdybym pokazała się we wsi z brzuchem i bez męża, ojciec by mnie zakatował na śmierć. Może byłoby to wyjście z sytuacji?

Całą noc snułam się po korytarzach akademika, nieczuła na zaczepki spragnionych szybkiego seksu facetów, ważąc decyzje. Mogłam uciec z domu. Tylko dokąd? Uciec jest łatwo, szczególnie teraz, gdy nikt mnie nie pilnuje, ale jak potem zarobić na własne utrzymanie? A na siebie i dziecko? Mogłam usunąć, tylko... wiedziałam, że nie jestem w stanie tego zrobić. I nie tylko wiara katolicka mnie przed tym powstrzymywała – wizja piekła była mniej przerażająca niż wizja ojca wpadającego w morderczy szał

– ale nie potrafiłabym zabić dziecka, własnego maleńkiego, bezbronnego dziecka. Bo przecież już teraz biło jego serduszko, już miał główkę, rączki i nóżki. Wiem to, bo od razu pobiegłam do biblioteki i naoglądałam się zdjęć. To nie był już li tylko zbitek komórek...

Nad ranem wpadła mi do głowy szatańska myśl: muszę znaleźć dziecku tatusia. I to szybko!

Lilka mogła wydawać się głupią, puszczalską blondynką, ale jeśli coś postanowiła, gdy miała cel, podchodziła do jego realizacji z iście naukową precyzją. Najpierw musi zniknąć na parę dni, by przemiana, jaka się dokona, była wiarygodna. Żaden poważny facet – a takiego tylko chciała jako ojca dziecka i, w konsekwencji, swojego męża – nie zwiąże się z latawicą.

Następnego dnia wpadła więc spanikowana do pokoju, który dzieliła z trzema plotkarami, pochlipując:

– Moja ukochana babcia umiera! – Spakowała parę rzeczy, wsiadła w pierwszy lepszy autobus i... na dwa dni pojechała do domu. Ojcu wcisnęła inną bajeczkę, wysłuchała kolejnej awantury pod tytułem: „Dlaczego tej szczeniarze dajesz więcej niż nam?!", po czym wróciła cała we łzach i czerni na uczelnię.

Od tego dnia chodziła cicha i przygaszona. Nikt nie śmiał jej zaczepiać. Złożyła podanie o urlop dziekański, który oczywiście dostała. Za pieniądze odłożone na prezenty dla koleżanek wynajęła maleńki tani pokoik bez wygód na krakowskim Kazimierzu, z oknem wychodzącym na dachy kamienic, a gdy uwiła w tych surowych ścianach całkiem miłe gniazdko – miała dryg do stwarzania czegoś z niczego – gdy już miała dokąd wracać... ruszyła na łowy.

Gdzie szukać bogatych facetów, co z pieniędzy własnych lub dofinansowania rodziców utrzymają żonę z dzieckiem? Oczywiście na Uniwersytecie Jagiellońskim, dokładniej: na Wydziale Prawa i Administracji. Tak, przyszły adwokat czy notariusz, to było to!

Do polowania przygotowała się jak najstaranniej: ładna, elegancka, ale seksowna sukienka, makijaż, kolczyki podwędzone macosze... Włosy rozczesała tak, że spłynęły lśniącą złotem strugą na plecy. Jeszcze tylko niewysokie szpilki i już szła ulicą Gołębią w stronę *Collegium Novum*. Stanęła przed bramą i okiem koneserki ogarnęła imponujący gmach. Tak, w takim miejscu może pobierać nauki jej wybranek.

Szeroko otwarte drzwi zapraszały do środka. Po chwili pantofelki Lilki stukały na marmurowych posadzkach.

Dookoła kłębił się tłum studentów. Dziewczyna nie rozglądała się, nie strzelała wzrokiem, nie wabiła. Po prostu szła z lekko zagubionym wyrazem twarzy, czekając aż to ON ją odnajdzie. Pan Właściwy.

Nagle stanęła jak wryta, bo oto miała go przed sobą...

Liliana ocknęła się w chwili, gdy zgasł ostatni węgielek. Rozejrzała się odruchowo, ale bez ciekawości. Właściwie to bez żadnych uczuć. Umysł miała ociężały, ruchy spowolnione, ciało niechętne do współpracy.

Było zimno. Noc nie ustępowała. Zmęczenie – mimo drzemki (ile mogła spać?) – narastało, zamiast mijać.

„Jeszcze chwilę się prześpię. Muszę mieć siły do dalszej wędrówki". – Przez umysł przemknęła myśl. Gdzieś w głębi czaszki rozdzwonił się alarm, zabrzmiały słowa cioci Anastazji: „Nawet jeśli jesteście bardzo zmęczeni, na mrozie nie wolno zasnąć. Nie wolno zasnąć! Lila, powtórz. Aleksiej, powtórz".

Imię mężczyzny, który wtedy, jako ośmioletni chłopiec, mówił z powagą: „Na mrozie nie wolno zasnąć!", podziałało na Lilianę jak szklanka gorącej herbaty. Zamrugała, potrząsnęła głową, by oprzytomnieć i zmusiła się do wstania. Ręce omdlewały. Nogi się uginały. Jednak w pamięci wciąż brzmiał głos Aleksieja: „Nawet jeśli jesteś bardzo zmęczona, nie wolno ci zasnąć".

– To co mam robić?! – krzyknęła z rozpaczą.

Dźwięk własnego głosu w niewzruszonej ciszy lasu przeraził kobietę. Zatkała usta ręką. Przecież tu są niebezpieczne zwierzęta! Tego brakowało, by zwabiła krzykami wilka albo niedźwiedzia...

Otuliła się szczelniej kożuszkiem, choć niewiele teraz ciepła dawał, dźwignęła torbę i ruszyła przed siebie. W górę. Na szczyt.

Tak, pamiętała, że uratować ją może najmniejszy nawet strumień, którym zejdzie do ludzkich siedzib, mimo to większe nadzieje pokładała w telefonie komórkowym, a ten złapie zasięg w miejscu, gdzie nie będzie drzew, położonym wyżej.

Szła i szła, z determinacją nieznaną sobie stawiała krok za krokiem, potykając się w ciemnościach. Księżyc zniknął, nie przyświecał nawet ten nędzny ogryzek, Liliana nie widziała przed sobą nic na wyciągnięcie dłoni, mimo to wiedziała, że kieruje się w górę.

Nagle las otworzył się przed nią i po chwili stanęła na rozległej polanie czy raczej wyrębie albo wiatrołomie. Dookoła majaczyły powalone drzewa i ścięte pnie. Przysiadła na najbliższym, zwiesiła głowę, całkowicie pozbawiona sił. Łzy spłynęły po policzkach. Chciała je otrzeć, ale nie miała siły podnieść ręki. Niech płyną. Która to godzina? Czy ona, Liliana, doczeka świtu? Czwarta rano. Czwarta?! Dopiero czwarta?! Zacznie się rozjaśniać za trzy godziny. Nie wytrzyma tyle!

Za odrobinę światła i ciepła oddałaby rok życia. Sięgnęła do torby po zapalniczkę i zmartwiała. Zostawiła ją przy ognisku! Jak mogła być tak bezmyślna?! Resztki sił uszły z kobiety właśnie w tym momencie. Usiadła ciężko na ziemi, opierając plecy o pień drzewa i zamknęła oczy, nie bacząc już na szepty podświadomości. Dotarła do kresu wytrzymałości. Jeśli ma tutaj umrzeć – trudno.

Powoli zaczęła odpływać w nieświadomość, gdy nagle wyszarpnął ją z czerni jakiś dźwięk. Otworzyła szeroko oczy i wstrzymała oddech. Dźwięk powtórzył się. Serce Liliany zamarło.

Uwagę Lilki zwrócił w pierwszej chwili jego śmiech. Głęboki, niski, zniewalający. Podążyła wzrokiem za tym śmiechem i… był tam! Stał pod ścianą, obejmując w talii piękną dziewczynę, która lepiła się do niego bezwstydnie. Lilka aż pięści zacisnęła na ten widok.

„On jest mój!" – chciała zakrzyczeć, podbiec do gruchającej parki, chwycić tamtą za kudły i odciągnąć od Aleksieja. Ale Aleksiej nie należał już do Lilki. Zrobiła wszystko, dosłownie wszystko, by go utracić. Teraz mogła stać pośrodku korytarza, mijana przez dziesiątki studentów i bezsilnie patrzeć przez łzy, jak mężczyzna bierze twarz dziewczyny w dłonie i całuje szybko, ukradkiem jej pełne karminowe usta. Serce Lilki załkało. Poczuła, że rozsypuje się na milion bolesnych kawałków.

– Mogę w czymś pomóc? Coś się stało? – Usłyszała czyjś głos. Zamrugała, strącając z rzęs łzy i przeniosła spojrzenie z czulącej się parki na studenta, który stał obok, dotykając pytająco jej ramienia.

– T-tak – zająknęła się. – Proszę mnie stąd zabrać.

Uczepiła się podanego ramienia.

– Ale nie tędy! – zaprotestowała, gdy chciał zawrócić do wyjścia z budynku. – Przejdźmy okrężną drogą.

Młody mężczyzna uśmiechnął się domyślnie, podążając wzrokiem za jej spojrzeniem.

Gdy przechodzili obok Aleksieja i tamtej, objął Lilkę zaborczym gestem.

Aleksiej w tym momencie uniósł oczy. Źrenice rozszerzył mu szok. Nim jednak zdołał wypowiedzieć choć słowo, wykonać najprostszy gest, Lilka z nieznajomym zniknęli w tłumie studentów.

Oboje jednak wiedzieli, że się niedługo spotkają. Czy Aleksiej chciał, czy nie, Lilka była jego przeznaczeniem. Albo przekleństwem.

To był pierwszy i ostatni raz, gdy ja znalazłam ciebie, a nie na odwrót. Zwykle miotałam się od telefonu do skrzynki pocztowej, próbując nawiązać z tobą kontakt, ale ty nie odpowiadałeś, by pojawić się, ot, tak, pewnego dnia, znikąd. Jeszcze wczoraj ciebie w moim życiu nie było – lizałeś rany po ostatnim mną rozczarowaniu, ostatniej zdradzie – dziś czekałeś na mnie pod szkołą czy uczelnią albo stawałeś w drzwiach mojego domu. Gdy tylko chciałeś, zawsze potrafiłeś mnie odnaleźć, a ja często zastanawiałam się: jakim cudem?! Skąd wiedziałeś – dwa dni po przypadkowym spotkaniu na korytarzu Collegium Novum *– gdzie mieszkam, skoro nie znał tego adresu nawet mój ojciec – o koleżankach i kolegach z roku nie wspomnę?*

Miałam nadzieję zadać ci to pytanie – to i setki innych – gdy w końcu będziemy razem. Bo będziemy, prawda, Aleks?

Dzwonek do drzwi przerwał przygotowania do wielkiego wyjścia. Dzisiaj Lilka miała pierwszą randkę z Karolem, studentem prawa, poznanym na korytarzu *Collegium Novum*, który miał dwie zalety: po pierwsze, był idealnym kandydatem na męża i ojca nieswojego dziecka, po drugie… znał Aleksieja Dragonowa. To było pierwsze, o co ostrożnie wypytała Karola tamtego dnia, gdy wyszli z uczelni, a ona pozwoliła odprowadzić się młodemu mężczyźnie pod sam dom. Na więcej się nie zgodziła, mimo że Karol sugerował kawę czy drinka w pobliskiej knajpce. Nie. Jeśli Lilka miała tego studencika zdobyć – na resztę życia, nie na jedną noc – musiała grać cnotliwą i niedostępną. Przyszło jej to bez trudu.

Karol codziennie wystawał pod jej domem dotąd, aż zgodziła się na spotkanie.

Dziś więc rozczesywała włosy, aż lśniły jak płynne złoto, nakładała delikatny makijaż, dzięki któremu jej oczy były jeszcze większe, a twarz jeszcze piękniejsza, narzucała śliczną lekką jak mgiełka koszulkę, w której – gdy dojdzie co do czego – będzie wyglądać zjawiskowo, i już miała sięgać po sukienkę, prostą, acz bardzo seksowną, gdy zastygła bez ruchu, słysząc dzwonek.

Idąc do drzwi klęła pod nosem. Byli umówieni za godzinę. Lilka nie lubiła się spieszyć. I nienawidziła, gdy facet przychodził za wcześnie, przerywając przygotowania do wyjścia. Mogła udać, że nie ma jej w domu, ale nie chciała zniechęcić Karola. Nim uchyliła drzwi, odetchnęła głęboko raz i drugi, przywołała na twarz uśmiech i... Na widok mężczyzny, stojącego po drugiej stronie, aż się cofnęła.

– Aleksiej! – Ten cichy szept zabrzmiał jak krzyk.

Stał, jak to on, nonszalancko oparty jedną ręką o framugę drzwi, w drugiej trzymał żonkile. Podał je zszokowanej dziewczynie jak gdyby nigdy nic, jakby nie rozstali się lata temu w gniewie, jakby przychodził tu do niej co dzień, jakby to na niego czekała w ten wieczór, jakby dla niego wdziała tę jedwabną koszulkę więcej odsłaniającą niż zakrywającą.

– Nie przeszkadzam? Mogę wejść? – zapytał niskim, miękkim głosem, ogarniając dziewczynę długim spojrzeniem.

– Nie! Tak! Wejdź! Ja... – Rozejrzała się w popłochu dookoła, nie wiedząc, czy narzucać coś na siebie, czy przeciwnie, pozostać w koszulce, w której wygląda bardzo seksownie i uwodzicielsko. – Wejdź, Aleks – powiedziała już spokojniejszym głosem, otwierając szeroko drzwi. – Rozgość się, ja pójdę po szlafrok.

– A może nie? – Uśmiechnął się. – W tym skrawku materiału wyglądasz prześlicznie, a ja widziałem już ciebie nagą.

Zarumieniła się, uciekła wzrokiem.

On przemierzył wąski korytarz i wszedł do pokoiku służącego jednocześnie za sypialnię, pokój dzienny i miejsce do nauki. Widząc rozrzucone na łóżku rzeczy i kosmetyki, rzekł:

– Chyba jednak przyszedłem nie w porę. Masz pewnie randkę z tym studencikiem?

– On... To nic poważnego. Odwołam spotkanie.

Nim zdążył powiedzieć choć słowo, już biegła do stolika pod oknem, już sięgała po telefon. Aleksiej słuchał w milczeniu, jak tłumaczy się pokrętnie temu po drugiej stronie bólem głowy. Zakończyła wreszcie rozmowę, odetchnęła jak przed skokiem na głęboką wodę i odwróciła się do swego gościa z nieśmiałym uśmiechem.

– Wybaczyłeś mi?

Wzruszył ramionami.

– Nie mam zbyt wielkiego wyboru. Jesteśmy na siebie skazani.

Nie zabrzmiało to jak wyznanie kochającego mężczyzny. Nie to chciała Lilka usłyszeć, lecz to musiało jej na razie wystarczyć. Przyjdzie jednak czas i to już niedługo – tego była pewna – gdy Aleksiej będzie szeptał jej do ucha inne słowa. Musiała tylko otrząsnąć się z szoku i wejść w rolę uwodzicielki, która przez ostatnie lata stała się jej drugą naturą.

Odrzuciła włosy na plecy, uśmiech z nieśmiałego zmienił się w zachęcający.

– Zrobię ci kawę albo herbatę – co wolisz? Mam kawałek ciasta, pewnie jesteś głodny. Usiądź, a ja za chwilę podam...

Gdy wróciła z ciastem na talerzyku i filiżanką pełną aromatycznego napoju, Aleksiej stał pod oknem, patrząc na dachy kamieniczek. Stanęła za plecami mężczyzny, objęła go wpół i przytuliła policzek do jego barku. Przykrył jej dłoń swoją. Zwykły, przyjacielski gest.

– Gdybyśmy nie spotkali się na korytarzu, nie szukałbyś mnie? – zapytała cicho.

– Jeszcze nie teraz – odparł zgodnie z prawdą. – Zacząłem układać sobie życie, wynająłem klimatyczne mieszkanko na poddaszu, poznałem dziewczynę... Przed ślubem miałem jednak zamiar cię odnaleźć.

– Przed ślubem?!

– Przed moim ślubem z Olgą. Tak ma na imię...

– Z jaką Olgą?! Przecież to ja jestem twoim przeznaczeniem! Ja! Powtarzałeś mi to tyle razy! Że skończysz studia i wrócisz po mnie! Że będziemy razem! Przyrzekałeś!

Stał nieruchomo, oparty o parapet, patrząc na rozpacz w niebieskich oczach dziewczyny. Zaciskała pięści w bezsilnym gniewie, próbując się nie rozpłakać w głos.

– Lilka, próbowałem... – zaczął miękko. – Wracałem do ciebie, ale ty za każdym razem wbijałaś mi nóż w plecy. Nie zliczę, ile razy za ciebie oberwałem. Ile razy mnie zawiodłaś. Ostatnio twój ojciec niemal nadział mnie na widły, a ty zamiast stanąć w mojej obronie, krzyczałaś, że cię zgwałciłem.

– Przepraszam, Aluś, ja nie wiem… nie wiem dlaczego…

– Ale ja wiem, Lilou – przerwał jej. – Jesteś urodzoną ofiarą. Potrzebujesz faceta, który będzie cię prał po pysku trzy razy dziennie, jak twój ojciec. Ja się do tego nie nadaję. Mógłbym cię jedynie kochać, rozpieszczać i nosić na rękach – ty za całą tę miłość odpłaciłabyś zdradą.

– Nigdy! Nigdy bym ciebie nie zdradziła! Daj mi szansę, jeszcze jeden raz! – Zarzuciła mu ręce na szyję, zaczęła całować, tuląc się do mężczyzny. Pozwalał na to przez parę chwil, wreszcie przytrzymał ją za nadgarstki i odsunął od siebie.

– Lilou – jej imię zabrzmiało jak westchnienie – to się nie uda. Ty się nigdy nie zmienisz. Ja nie chcę już więcej próbować.

– Ależ owszem, chcesz! – krzyknęła z furią. – Co innego byś tu robił, jeśli byś nie chciał?! Gdzie twoja słodka Olga, twoja przyszła żona?! Czy wie, że obściskujesz się teraz z miłością twojego życia?! – Czując, że w mężczyźnie narasta wściekłość, natychmiast zmieniła taktykę: – Aluś, Aleksiej, przepraszam! Nie chciałam tego powiedzieć! Nie mogę znieść, po prostu nie mogę, że ty, którego kocham od zawsze, odejdziesz do innej. Nie zniosę tego, rozumiesz? Aleksiej… – Ukryła twarz na jego piersi. Granie na tych dwóch uczuciach: miłości i nienawiści, zawsze przynosiło rezultaty. Tym razem również. Gniew mężczyzny opadł. Zastąpiło go poczucie winy. Bo przecież przyszedł tutaj w jednym celu – niczym narkoman po długoletnim odwyku – zażyć jej. Wziąć ją. Posiąść. Zamknąć w ramionach i nie wypuścić dotąd, aż go zaspokoi.

Przez ostatnie lata karmił się poczuciem krzywdy i nienawiścią za to, co mu zrobiła, co wykrzyczała ze strachu przed biciem: „Gwałciciel! To on wziął mnie siłą!", ale co z tego, że nią gardził, skoro szukał Liliany w każdej innej? Anka, Iza, teraz Olga... Te wszystkie, cudowne, kochające go do szaleństwa wspaniałe dziewczyny miały jedną jedyną wadę: nie były Lilką. Nie smakowały jak ona, nie poruszały się jak ona, uśmiechały się inaczej, inaczej płakały, krzyczały, szeptały czułe słowa. Choćby nie wiem jak pragnął zapomnieć, jego ciało, jego serce i dusza pragnęły tylko jej. Swego dopełnienia i przekleństwa. Lilith.

Może gdyby wyjechał z kraju, by wrócić po latach, ten głód by stępiał, powoli zniknął, ale on, Aleksiej Dragonow, został na tyle daleko, by żyć bez niej, na tyle jednak blisko, by mieć swoje opium pod ręką, gdyby głód stał się nie do zniesienia. I wystarczyło jedno spojrzenie, krótkie spotkanie na uczelnianym korytarzu, by wybuchł ze wzmożoną siłą. A Aleksiej nie chciał się przed nim bronić.

Przed nią również nie.

„Czy wiesz, co robisz?". – Resztki rozsądku rozbrzmiewały w głowie. – „Ona się nie zmieni".

– Aleksiej, kocham tylko ciebie – wyszeptała, patrząc prosto w szeroko otwarte oczy mężczyzny.

Jeszcze przez kilka uderzeń serca walczył ze sobą, ale gdy miękko, pytająco dotknęła ustami jego ust, porwał ją na ręce, a potem cisnął na łóżko.

Późno w nocy leżeli wśród rozrzuconych poduszek i zmiętych prześcieradeł, zmęczeni, syci siebie, szczęśliwi. Lilka wtuliła twarz w pierś mężczyzny, słuchając powolnego oddechu i silnego bicia jego serca. Dziś, tej nocy, biło ono dla niej i tylko dla niej. Tyle razy powiedział „kocham cię"... Czy tamtej, Oldze, mówił to samo?

– Kochasz ją? – zaszeptała, przerywając łagodną, błogą ciszę.

Aleksiej długo nie odpowiadał, zapatrzony przed siebie. Ułożyła się na wznak, kładąc głowę w zagłębieniu między jego szyją a obojczykiem. Gdyby był tchórzem, mającym za nic słowa, zaprzeczyłby, żeby tylko uciszyć Lilianę jeszcze na parę chwil, on jednak brał odpowiedzialność za to, co mówi.

– Kocham – odparł wreszcie, wiedząc, że sprawia tulącej się doń dziewczynie ból. – Nie tak obłędnie jak ciebie, ale kocham.

Uczepiła się ostatnich słów jak tonący brzytwy. Przełknęła rozczarowanie. Teraz musi ostrożnie, bardzo rozważnie przekonać Aleksieja do siebie. Zamiast więc wybuchnąć: „Jeśli mnie kochasz bardziej, zostań ze mną!", rzekła drżącym głosem:

– Jest pewnie piękniejsza i mądrzejsza ode mnie...

Milczał długą chwilę. Nie pragnął tej rozmowy. Chciał leżeć z ukochaną kobietą w objęciach aż po kres nocy, a potem wyjść po cichu i nigdy nie wrócić. Do końca życia zachować w czułych wspomnieniach jej cudowne ciało, rozkosz, jaką go obdarowała, słowa pełne miłości.

Bez wyznań, bez rozdrapywania ran, bez pytań o przyszłość. Wiedział jednak jedno: zawsze będzie do niej wracał.

Teraz westchnął z głębi serca i odparł:

– Nie spotkałem piękniejszej dziewczyny od ciebie.

Pogładziła koniuszkami palców jego pierś.

– Dobrze ci było ze mną?

Ucałował w odpowiedzi jej pytające usta.

– Zostań więc. Daj mi szansę raz jeszcze. Tym razem nie zawiodę...

– Lilou – przerwał jej łagodnie – nie mogę. Dałem słowo Oldze.

– I żeby go dotrzymać, zmarnujesz życie sobie, mnie i jej?

To był celny cios. Aleksiej aż uniósł się na łokciu, biorąc Lilkę pod siebie. Długo patrzył w ciemne, niemal czarne oczy dziewczyny.

– Nie jesteśmy sobie pisani – powiedział wreszcie, bo nic innego nie przychodziło mu na myśl.

Nie chciał jej ranić słowami. Nie po tym, jak kochał się z nią do utraty zmysłów. Nie powiedział więc, że nie wierzy, by Lilka kiedykolwiek się zmieniła, że boi się jej zaufać, że jeśli ma zmarnować życie, to u boku wiernej, stałej w uczuciach Olgi, a nie podłej, zdradliwej Lilith.

– Jesteśmy – odparła z niewzruszoną pewnością. – Sam nie raz to powtarzałeś.

– Lilou, potrzebuję silnej, pewnej towarzyszki życia, której będę mógł zaufać, ty… Szukając cię po krakowskich uczelniach, trafiłem do twoich kolegów i koleżanek z roku. Masz nie najlepszą opinię.

Lilka zacisnęła powieki. Dobrze, że panował mrok i Aleksiej nie widział rumieńców wstydu, które wykwitły na jej policzkach. „Nie najlepsza opinia", dobre sobie! Miała opinię łatwej, puszczalskiej, tylko Aleksiej przez delikatność o tym nie wspomniał.

– To się zmieni. Ja się zmienię!

– Lilou…

– Nim wydasz wyrok, może zapytasz, co ma na swoją obronę oskarżona?!

– Nie oskarżam cię. Jesteś dorosła. Wiesz, co robisz. Jeśli masz chęć zaliczyć każdego faceta na roku czy na uczelni…

Miała ochotę go uderzyć. Gdyby stał teraz przed nią, spoliczkowałaby go ze złości i rozpaczy, że nie dał jej szansy na wytłumaczenie, ale Aleks leżał tuż obok, obejmując ją ramieniem i gładząc przez cały czas kciukiem jej policzek.

– Kupowałam ich przyjaźń – powiedziała cicho. – Dziewczynom płaciłam prezentami, a facetom seksem za to, żeby nie być sama. Żeby ktokolwiek się mną interesował, żeby rozmawiali ze mną na przerwach i po zajęciach. Czy ty wiesz, Aleks, co znaczy samotność?

Milczał.

– Wydaje ci się jedynie – ciągnęła dalej. – Nawet w dzieciństwie, gdy odrzuciły cię dzieciaki ze wsi, miałeś ciotkę, która stała za tobą murem, kochała cię, troszczyła się o ciebie, a gdy trzeba było, broniła przed bandą wiejskich gnojków. Potem wyjechałeś do szkoły z internatem i twoja samotność skończyła się raz na zawsze. Z jakim błyskiem w oczach opowiadałeś o swojej bandzie, o kumplach, co poszliby za tobą w ogień, o zabawach i wygłupach, wreszcie o przyjacielu, miał na imię Tomek, z którym mogłeś konie kraść. Potem poszedłeś na studia i dam sobie rękę uciąć, że nie cierpisz na brak zainteresowania dziewczyn, a i koledzy chętnie przebywają w twoim towarzystwie. Skąd to wiem? Ja też ciebie obserwowałam, choć jedynie parę chwil, jak wyluzowany, na uczelnianym korytarzu, obściskiwałeś się z piękną Olgą, pozdrawiając przechodzących kumpli skinieniem ręki i uśmiechem, niczym jakiś pieprzony udzielny książę. Nie wiesz nic o samotności małego dziecka, którego nikt nie chce, małej dziewczynki-jąkały, z którą nikt nie chce się bawić, a którą każdy wyśmiewa, nie wiesz nic o samotności dorastającej dziewczyny, której każdy chłopak w promieniu kilometra chce tylko wsadzić rękę między nogi, a jeszcze lepiej nie tylko rękę. Do ojca z tym nie pójdę, bo dostanę wciry, wyzwie mnie od kurew i zamknie na tydzień w pokoju, bo to moja wina, to ja prowokuję cyckami na wierzchu, choćbym nie wiem jak te cycki ukrywała. Macocha jest na mnie wściekła, bo odbieram konkurentów jej córci, córcia zaś wbiłaby mi nóż w plecy, gdyby tylko nie poszła za to siedzieć. Faceci mnie nienawidzą, bo nie daję tego, co chcą, dziewczyny mnie nienawidzą, bo tamci ganiają tylko za mną. Jestem sama, zupełnie sama przeciwko całemu światu. Od najmłodszych lat. I z tej samotności czasem mi odbija. Ot, cała opowieść. Teraz możesz podziękować mi za uroczy wieczór i dobre pieprzonko, ubrać się, wyjść i już nigdy nie wrócić. Ja jestem przyzwyczajona do takiego traktowania.

Słuchał tej spowiedzi w milczeniu. Ile bólu było w głosie Liliany. Ile prawdy kryło się w jej gorzkich słowach. Czy mógł ją potępiać, że zamiast walczyć, tak jak on to robił, mając zawsze oparcie w kimś bliskim, kłamała? Zawodziła? Przerzucała winę na niego? Aleksiej zawsze mógł uciec przed ciężką ręką Borowego. Lilka wcześniej czy później musiała do domu wrócić i znosić razy pijanego sadysty...

Umilkła, przełykając łzy. Nic więcej nie było do dodania.

Aleksiej przytulił ją z całych sił, gładząc drżące plecy dziewczyny, całując włosy... A potem położył ją na wznak i zaczął centymetr po centymetrze pieścić jej ciało. Dłońmi, ustami, językiem. By poczuła jego miłość i uwielbienie do siebie. Lilka pojękiwała cichutko, błagając w duchu i na głos, by nie przestawał, by ta chwila trwała...

Nagle Aleksiej znieruchomiał, pochylony nad jej udem. Lilka natychmiast zgadła, czemu tak uważnie mężczyzna się przygląda. Skóra, wszędzie indziej gładka, tutaj srebrzyła się cienkimi bliznami. Krótsze, dłuższe, płytsze, głębsze...

– Tniesz się – rzekł głosem wypranym z uczuć. – Od jak dawna?

– Od dzieciństwa – prychnęła. Cudowna chwila uleciała wraz z tymi dwoma słowami „Tniesz się".

– Zaczęłam, gdy zostawiłeś mnie po raz pierwszy. Pamiętasz? Wyjechałeś z ciotką do Nadziei, a mi pękło serce z żalu i tęsknoty. Na ten ból pomógł inny... – Ile goryczy było i w tych słowach.

Aleksiej poczuł, jak w serce wgryza mu się poczucie winy i współczucie. Czy mógł wtedy zrobić cokolwiek, by małej Lili nie zostawić własnemu losowi? A potem, gdy wrócił po latach? A... teraz?

Ucałował wnętrze uda, poprzecinane srebrnymi bliznami.

– Wybacz mi, Lilou. Jeżeli nadal mnie chcesz, zostanę z tobą. I to ja ciebie powinienem prosić o jeszcze jedną szansę, nie odwrotnie.

Lilka nie słyszała ostatnich zdań. Tylko to jedno: „zostanę z tobą" rozbrzmiewało w jej umyśle niczym najpiękniejsza muzyka, hymn do miłości. Aleksiej zostanie ze mną! Będziemy razem! Będzie mój!

– O jedno, Lilou, muszę cię prosić: nigdy więcej nie kłam, nie kręć, nie prowadź ze mną żadnych gierek. Ja jestem w stosunku do ciebie szczery i uczciwy i żądam tego samego. Zgoda?

– Wszystko, co chcesz – wyszeptała, patrząc z miłością w jego czarne oczy.

Resztę nocy spędzili na długich rozmowach i na czułym, a czasem dzikim seksie.

Lilka zgodnie z obietnicą opowiedziała Aleksiejowi o wszystkim, nawet o facetach, z którymi szła do łóżka za obietnicę wieczoru we dwoje. Przemilczała jedynie pewien drobny fakt: że z jednym z nich wpadła, że jest w ciąży, że boi się wrócić do domu i przyznać się do tego, ale boi się też zostać sama z dzieckiem, bez rodziny, bez pomocy, więc rozpaczliwie szuka kogoś, kogo mogłaby w ojcostwo wrobić. Nie, już nie szuka. Znalazła. Tak, o tym Lilka nie napomknęła ani słowem, przyrzekając parę godzin wcześniej szczerość, prawdomówność i wzajemne zaufanie. Wierzyła w wielkoduszność Aleksieja, wiedziała, że ją kocha, ale nawet jego miłość i poświęcenie miały swoje granice. Lilka była pewna, że dowiedziawszy się o ciąży, po prostu by wstał i wyszedł.

Aleksiej tej nocy opowiadał o sobie, przyznając, że sam też nie jest święty. Kobiety garnęły się do niego – Liliana wcale się im nie dziwiła, bo był pięknym, fascynującym mężczyzną – a on nie miał powodu, by odmawiać sobie czy im. Do czasu, gdy poznał Olgę. To ona sprawiła, że zapragnął się ustatkować u jej boku. Że poważnie myślał o założeniu rodziny. Teraz będzie musiał wystawić miłość Olgi na próbę: wraca przecież do Lilki, Olga nie zgodzi się na bycie tą drugą, rezerwową.

Westchnął. Trudna to będzie rozmowa.

Lilka o coś pytała. O studia.

– Nie, to Olga studiuje prawo, byłem wtedy u niej na uczelni. Ja kończę anglistykę i dodatkowo romanistykę.

Lilka spojrzała nań z niedowierzaniem.

– Będziesz belfrem?

– Podróżnikiem. – Uśmiechnął się, widząc rozczarowanie na twarzy dziewczyny. – Pamiętasz moje marzenie? Jacht? Żeglowanie po morzach i oceanach? Nadal jest aktualne. Na początku będę musiał zaczepić się w jakiejś szkole, żyć skromnie, by uzbierać na pierwszą łajbę, ale potem... Słońce w oczach, wiatr we włosach, wolność i swoboda! Popłyniesz ze mną dookoła świata? – Pochylił się nad dziewczyną, zaglądając jej w oczy. Jego twarz, jeszcze przed chwilą ściągnięta zmartwieniem, teraz promieniała na samą myśl o żeglowaniu.

„Oczywiście, że popłynę!" – żachnęła się Lilka w duchu. – „Z tobą i z dzieckiem, które nie będzie twoje, ale o tym nigdy się nie dowiesz".

Na głos odpowiedziała, uśmiechając się do mężczyzny słodko:

– Gdzie ty, Kajus, tam ja, Kaja.

Spił te słowa z jej ust, a potem wyszeptał:

– Mam nadzieję, że trochę odpoczęłaś po ostatnim szaleństwie, bo ja znów jestem gotów.

Ona też była. Bardziej niż gotowa.

Kochali się przez dwa dni i dwie noce, niemal nie wychodząc z łóżka. Gdzie tam łóżka! Robili to i w kuchni, na stole, gdzie Lilka chciała przygotować cokolwiek do jedzenia, i w łazience pod prysznicem, i w korytarzu, gdy Aleksiej miał zejść do sklepu po jakieś zakupy... Nie dość syci siebie odrywali się na parę chwil, by wracać jeszcze bardziej spragnieni dotyku, smaku, czułości, seksu.

Zasypiali wtuleni jedno w drugie, budzili się w tej samej chwili, by znów zatracać się w rozkoszy. Wszystko zostało wybaczone. Przeszłość nie kładła się cieniem między nimi. Liczyła się tylko jasna przyszłość we dwoje.

Gdyby wiedzieli, że ta wspólna przyszłość potrwa do następnego rana...

Gdybym mogła kupić te dwa dni – wszystko jedno: od Boga czy szatana – oddałabym za nie resztę życia. Chcesz, Panie Boże? Bierz. Tylko podaruj mi jeszcze jedną szansę na taką miłość, jakiej doświadczyłam przez tamte czterdzieści osiem godzin. Aleksiej… resztę życia oddałabym za powtórną szansę na tamte dwa dni i dwie noce z tobą.

Może skończyłyby się inaczej niż owego strasznego ranka, gdy wyszłam z łazienki, owinięta w biały ręcznik i zobaczyłam twoje oczy, a w nich szok, niedowierzanie i… tak, nienawiść. Znów nienawiść.

Gdy usłyszałam twój stłumiony przez wściekłość głos: „W co ty mnie wrabiasz?!"

Gdy zobaczyłam w twojej dłoni… Dlaczego?! Dlaczego zostawiłam ten nieszczęsny test w szafce przy łóżku?! Jak mogłam być taka głupia?! Taka nierozważna?!

Łykając łzy, patrzyłam, jak ubierasz się bez słowa. Jak zaciskasz szczęki, by nie wybuchnąć. Próbowałam coś powiedzieć, wytłumaczyć, błagać, byś został, byś mnie wysłuchał, ale ty zapytałeś tylko z bezbrzeżną pogardą:

– Wszystko ci było jedno – ja czy Karolek – co nie, Lilith?

„To nie tak!" – chciałam krzyczeć.

– Powiedziałabym ci! Powiedziałabym…

– Kiedy? Przed ślubem czy po nim?

– Jeszcze dziś bym powiedziała, uwierz mi!

– Miałaś czas, miałaś kurewsko dużo czasu, by między opowiastkami o kochankach wspomnieć, że któryś zrobił ci dziecko.

– Nie wybaczyłbyś mi tego! Nie zgodził się… Odszedłbyś!

– Tego nie wiesz. Ale teraz rzeczywiście ci nie wybaczę. Twoje słowa, twoje przyrzeczenia są warte tyle co splunięcie. Niech cię szlag, Lilith. Niech cię jasny szlag!

Wyszedłeś, trzasnąwszy drzwiami. A ja zostałam znów sama. Mając za towarzyszkę i pocieszycielkę jedynie żyletkę.

Aleksiej, oddałabym resztę mojego marnego życia, by ponownie mieć tamtą szansę. I tym razem jej nie stracić...

Liliana chwyciła telefon, który dał sygnał po raz drugi, SMS rozświetlił ekran komórki i zaraz zgasł, ale wiedziała, kto wysłał wiadomość. Tylko Aleks znał ten numer. Chyba, że to pomyłka... Parę razy próbowała trafić w przycisk otwierający skrzynkę odbiorczą, jednak przez łzy nic nie widziała.

Wreszcie!

„Spełnienia marzeń w dniu imienin, Lilou". „Lilou"! To było pierwsze, co zobaczyła i zrozumiała. A więc wybaczył jej! I pamiętał! Jak co roku – czy kochał ją, czy nienawidził – wysyłał życzenia imieninowe, ale czasem pisał „Lilith" i wtedy wiedziała, że jest jego przekleństwem. Dziś zaś...

Nacisnęła wybieranie numeru, modląc się, by odebrał.

Odebrał.

– Jeżeli cię obudziłem... – zaczął przepraszającym tonem, a Liliana miała ochotę ucałować telefon i tulić do piersi.

– Aleks, Aleks, ja zabłądziłam! – wyrzuciła z siebie w następnej chwili. – Szłam do ciebie, do Nadziei i zabłądziłam! Aleks... – Rozpłakała się.

– Gdzie jesteś? – Z tonu mężczyzny zniknęła senność.

– Nie wiem! W lesie! Ale nie wiem, gdzie... Szłam wzdłuż strumienia i... nie trafiłam. – Zaczęła szlochać cicho, rozglądając się dookoła błędnym wzrokiem. Nie potrafiła podać mężczyźnie po drugiej stronie najmniejszej wskazówki. Żaden charakterystyczny szczegół, po którym mógł do niej trafić, nie przychodził Lilianie na myśl.

– Uspokój się. Trafię do ciebie. Słyszysz? Znajdę cię! – W jego głosie zabrzmiała pewność. – Ten telefon ma GPS. Nie odchodź od miejsca, w którym teraz jesteś.

– Nie odejdę.

– I nie wyłączaj komórki!

– Nie wyłączę.

– To może potrwać parę godzin. Bardzo zmarzłaś? Wytrzymasz?

– Wytrzymam, Aluś, tylko się pospiesz.

– Nie wolno ci zasnąć, słyszysz?

– Nie zasnę.

– Teraz się rozłączę, żeby nie wyczerpywać baterii, ale znajdę cię. Czekaj na mnie.

– Będę czekała.

Ostatnie słowa wyszeptała, patrząc, jak jego imię na wyświetlaczu gaśnie.

Aleks, Aleksiej, Aluś... Już nigdy cię nie zawiodę, nie zdradzę, nie rozczaruję, tylko... pospiesz się.

Liliana ukryła telefon w kieszonce na piersi, zapięła suwak, by go nie zgubić, i ponownie rozejrzała się dookoła. Nic się nie zmieniło. Noc nie chciała ustąpić. A jednak... jakby pojaśniało i nieco ciepła napłynęło do zmęczonego, spragnionego snu ciała. Nadzieja rozgrzewała kobietę od środka. Ale rozpacz i zwątpienie czaiły się tuż, tuż. Za ciemnym pniem drzewa, za omszałym głazem. W wołaniu puszczyka, w szumie wiatru wśród gałęzi jodeł.

Liliana wiedziała jedno, żeby nie poddać się zmęczeniu i beznadziei, na długie godziny, jakie dzieliły ją od ocalenia – nie miała wątpliwości, że poszukiwania trochę potrwają – musi znaleźć dla rąk i umysłu zajęcie. Nie na tyle ciężkie, by tracić siły, ale żeby się rozgrzać i za dużo nie myśleć. Nie wyobrażać sobie, że Aleks nie zdąży i ona, Liliana, nigdy już do Nadziei nie trafi.

„Gdybym rozpaliła ognisko...".

Ciocia Anastazja pokazała dwójce dzieciaków, jak to zrobić. Czy uda się jednak powtórzyć sztuczkę z dwoma patykami teraz, gdy w zgrabiałych palcach Liliana ledwo mogła utrzymać plecak? Czy uda się pocierać patyki dotąd, aż dadzą iskrę? Tego nie wiedziała, była pewna jednego: Aleksiej nigdy by się nie poddał. Gryzłby te patyki ze złości, ale rozpaliłby ognisko. Ona więc też tego dokona!

Nie było łatwo znaleźć po omacku dwa gładkie, nie za grube i nie za cienkie patyki. Nie raz i nie dwa pękały w dłoniach, doprowadzając kobietę do rozpaczy, lecz zawsze w końcu brała się w garść, szukała następnych i zaczynała obrzęd krzesania ognia od nowa.

Jak długo to trwało? Całe wieki...

A jednak się udało! Najpierw Liliana poczuła słabą woń palonego drewna, miłą, wytęsknioną woń, zapach domowego ogniska, ciepłej kuchni w starej chacie, pod którą trzaska płomień, a na żelaznej blasze rumienią się kromki chleba. Chwilę później koniuszek patyka rozżarzył się, a gdy zaczęła ostrożnie nań dmuchać, przytykając do suchych liści... Ogień skoczył w górę. Liliana trzęsącymi się dłońmi podrzuciła jeszcze parę listków, potem żywiczną gałązkę, jeszcze dwie i wreszcie siedziała otumaniona ze zmęczenia, szczęśliwa, grzejąc dłonie nad własnym maleńkim ogniskiem.

Powinna wstać i nazbierać gałęzi, tylko trochę odpocznie, jeszcze minutkę... Powieki opadły. Liliana zasnęła na siedząco.

Suknia ślubna z podniesionym stanem nie zdołała ukryć zaokrąglonego brzuszka panny młodej. Ojciec Lilki próbował udawać wzruszonego, ale tak naprawdę czuł wstyd za puszczalską córkę. I ulgę, że Karolek bierze ją jednak za żonę.

Ten ostatni – nawet jeśli miał jakieś podejrzenia – nie dał tego po sobie poznać. Słowem, nie podważył swego ojcostwa ani w chwili, gdy się o nim dowiadywał, ani gdy się oświadczał. Lilka – najpiękniejsza dziewczyna, jaką spotkał w życiu – pasowała do wizerunku matki i żony, którą dla jedynaka wymarzyła sobie pani Łapska, a tylko ze zdaniem matki Karolek się liczył. Gdyby ona powiedziała „nie", o ślubie nie byłoby mowy.

Pani Jolanta przyjrzała się przyszłej synowej podczas uroczystego obiadu – nieśmiałej, zahukanej dziewczynie z głębokiej wsi, która podczas studiów nabrała jako takiej ogłady, wyglądała zdrowo, wypowiadała się rzadko, cicho i potulnie, a co najważniejsze – zapatrzona była w Karola jak w słońce. Nic dziwnego! Dobrze zapowiadający się przystojny, inteligentny prawnik, który ukończył najlepszą uczelnię – w Krakowie (matka uważała, że w Warszawie może studiować każdy, a jej syn zasługiwał na więcej!), był wyśmienitą partią dla każdej dziewczyny. Liliana-jakaś-tam złapała pana Boga za nogi i miała tego świadomość. Była wdzięczna Karolkowi, że jej nie odrzucił, gdy dowiedział się o ciąży, a jego matce – że przyjęła ją jak córkę.

Trochę wstyd przed rodziną i sąsiadami, bo to przed ślubem, ale... Karolek nie raz przyprowadzał do domu – oficjalnie i po kryjomu – różne lafiryndy. Z nich wszystkich Liliana była najmniej... kompromitująca. Pani Jolanta wyraziła więc swoją zgodę.

Stała teraz na samym przodzie kościelnej nawy. Obok macocha Liliany i jej przybrana siostra udawały, że ronią łzę. W rzeczywistości Maria czuła taką samą ulgę jak jej mąż, Elżunia zaś... Elżunia wspominała spojrzenie, jakim parę minut temu, gdy ich sobie przedstawiano, ogarnął jej bujne kształty pan młody.

Jedyną osobą, która w tym dniu myślała o Lilce, był mężczyzna, który przybył chwilę przed rozpoczęciem uroczystości.

Wszedł do wnętrza kościoła cicho jak duch, stanął na samym końcu, niezauważony przez nikogo z gości i czekał, by po raz ostatni ujrzeć miłość swego życia jako wolną istotę.

Weszła, wsparta na ramieniu ojca. Zmrużyła oczy, przyzwyczajając je do mroku panującego wewnątrz, zrobiła parę kroków ku ołtarzowi i... potknęła się, napotykając spojrzenie Aleksieja. Ojciec podtrzymał ją z udaną troskliwością. Aleksiej odprowadził wzrokiem. Do Karola, który za chwilę stanie się jej mężem, doszła jak lunatyczka, przez łzy nie widząc, gdzie stawia stopy. Przejął jej dłoń, uścisnął mocno – za mocno – i dał znak księdzu, że może zaczynać.

Aleksiej stał i patrzył, jak miłość jego życia składa przysięgę małżeńską innemu. W momencie, gdy ksiądz pytał, czy jest ktoś, kto zna powód, dla którego małżeństwo nie może być zawarte, chciał krzyknąć: „Tak, jak znam ten powód!", ale milczał. W chwili, gdy pan młody całował swą żonę – tak, teraz już żonę – z trudem powstrzymał się, by nie podbiec do ołtarza i nie odciągnąć Karolka od Liliany, a potem wpieprzyć mu tak, by nigdy już nie sięgnął po cudzą własność.

Jednak Liliana nie należała już do Aleksieja... Sam oddał ją innemu.

Aleksiej wyszedł z kościoła, nim ceremonia dobiegła końca, przyrzekając sobie, że z panem młodym porozmawia sobie po męsku. Jeszcze dzisiaj. Zabawa dopiero się przecież zaczyna...

Obserwował ją. Nie spuszczał z niej oczu, a ona, gdziekolwiek by się udała, czuła na swoim ciele palące spojrzenie jego szarych, teraz niemal czarnych źrenic.

Szukała go po wyjściu z kościoła, ale zniknął jak senna mara, by pojawić się w sali weselnej, tuż przed pierwszym toastem.

Goście unieśli kieliszki – wszyscy oprócz jednego. Wtedy Liliana dostrzegła Aleksieja przy najdalszym stole. Tylko on stał nieruchomo, zaciskając palce na kieliszku, jakby była to krtań pana młodego albo szyja panny młodej. Napotkawszy spojrzenie Liliany, uśmiechnął się kącikiem ust. Odpowiedziała nieśmiałym, pytającym uśmiechem.

Uniósł szkło i wychylił szampana do dna. I od tej chwili nie spuszczał Liliany z oka. Na początku była zmieszana jego obecnością. Czego Aleks chce? Po co tu jest? Nikt go przecież nie zapraszał! Czy ma zamiar ją, Lilianę skompromitować? Wykrzyczeć na cały świat, że nie Karol jest ojcem dziecka, które ma się urodzić za cztery misiące, a nie za pięć?

A nawet jeśli, to co? Ślub został zawarty, małżeństwo skonsumowane parę miesięcy temu...

Liliana nabrała pewności siebie. Wsunęła rękę pod ramię męża. Przytuliła się doń tak, by tamten widział, by zazdrościł, by żałował... Aleks, patrząc na tę demonstrację, uśmiechnął się tylko szyderczo.

„Możesz oszukać ich wszystkich, z panem młodym na czele. Nie oszukasz jednak ani siebie, ani mnie". – To Liliana widziała w lekko zmrużonych oczach mężczyzny.

„Czy rzeczywiście? Przekonamy się?" – podjęła wyzwanie.

Na oczach wszystkich rozkwitła. Spłoniona, z delikatnym uśmiechem błąkającym się w kącikach ust, z błyszczącymi źrenicami, czarowała wszystkich gości. Na zewnątrz wydawała się szczęśliwa i rozpromieniona – w środku zaś cała spięta niczym antylopa, która wyszła na słoneczną polanę, bezbronna, nieostrożna, czująca całym drżącym ciałem czające się w zaroślach zagrożenie. A szare oczy drapieżnika wabiły...

Wiedziała, że jest, ciągle jest tuż obok, że wodzi za nią wzrokiem, gotów w każdej chwili, by ją dopaść i ukarać. Za to, co mu zrobiła. Co im obojgu uczyniła. „Mogłaś być moja. Mogłaś teraz tańczyć na naszym weselu" – mówił bez słów, a Liliana przekornie śmiała się do swego męża, flirtowała z nim, drażniąc tamtego...

W pewnym momencie Aleksiej zniknął. Zaniepokojona zaczęła szukać go spojrzeniem wśród gości. Ukradkiem – tak, by nikt nie zauważył ucieczki, wymykała się z coraz bardziej rozbawionej gromady. Po paru ciągnących się w nieskończoność minutach znalazła się w odległej części ogrodu...

Czekał na nią. Chwycił za rękę znienacka, aż krzyknęła. Zatkał dłonią usta.

– Chodź – szepnął rozkazująco, a ona bezwolnie poszła za nim.

Prowadził ją w zielony gąszcz. Muzyka, śmiechy i nawoływania milkły powoli. Liliana poczuła dreszcz strachu. Nie wiedziała, co szykuje dla niej Aleksiej, ale jeśli zobaczy ją z nim Karol... Na wspomnienie męża zatrzymała się, wyrwała rękę z uścisku tamtego.

Aleksiej wbił czarne oczy w spłoszone źrenice dziewczyny.

– *Pójdi* – powtórzył śpiewnie, a ona, niczym ćma wabiona płomieniem świecy, poszła za tym głosem i spojrzeniem.

Weszli na małą polanę, gdzie w cieniu rododendronów stała kamienna omszała ława. Aleksiej zatrzymał się. Przymknął na chwilę oczy, odetchnął głęboko i powoli odwrócił się do Liliany. Odgarnął z twarzy dziewczyny kosmyk włosów gestem tak nieskończenie czułym, że łzy stanęły jej w oczach. I dopiero w tej sekundzie, gdy poczuła na policzku dotyk jego dłoni, zrozumiała, boleśnie pojęła, co straciła. Za czym przez resztę życia będzie tęskniła.

Z piersi wyrwał się szloch. Po policzkach spłynęły łzy. Otarł je kciukiem. Liliana przytrzymała jego dłoń, wtulając usta w ciepłe wnętrze.

– Wybacz, że przychodzę w dniu twojego ślubu – zaczął półgłosem – ale chciałem pożegnać się bez gniewu. Za dwa miesiące żenię się z Olgą…

Jęknęła.

Dopóki Aleksiej był wolnym człowiekiem, miała szansę… mogła… Jeśli weźmie ślub, gdy przyrzeknie wierność i uczciwość małżeńską innej… On nie łamał raz danego słowa. Nie Aleks!

Musi go zatrzymać! Musi zrobić coś, co przypomni mężczyźnie, że to ona, Liliana, jest jego jedyną miłością, jego przeznaczeniem!

Jak wiele razy wcześniej przyciągnęła go do siebie, przylgnęła ciałem do jego ciała, zatopiła usta w jego ustach, ale nie odpowiedział tym samym. Zacisnął palce na nadgarstkach dziewczyny, oderwał ją od siebie i przytrzymał na wyciągnięcie ramion.

– Nie, Lilka. Nie!

Szarpnęła się. Potrząsnął nią, powtarzając:

– Nie. Już za późno. Na wszystko za późno. Oboje popełnialiśmy błędy, których nie da się odwrócić jednym pocałunkiem. Ty jesteś mężatką, ja się żenię. To koniec, Lilou.

Słuchała jego głosu, jednak nie słyszała słów. Rozpacz walczyła w niej z nienawiścią. Do niego. Do siebie. Do faceta, który posiał w niej niechciane życie.

– Chciałem się tylko pożegnać, byś wiedziała, że nie czuję gniewu, że ci wybaczam...

Nienawiść w tej sekundzie wzięła górę.

– Ty mi wybaczasz? Ty?! Gdzie byłeś przez całe lata, gdy czekałam na ciebie?! Gdzie byłeś, gdy puszczałam się z każdym jednym, by o tobie zapomnieć?! Gdzie byłeś, gdy Karol łaskawie mi się oświadczał, by dziecko miało nazwisko i ojca?! Takiś teraz wielkoduszny? Wybaczasz mi? Wiesz, co ja na to?!

Wzięła zamach i strzeliła go w twarz.

Nawet nie drgnął.

– Jesteś tchórzem, Aleks! Potrafisz tylko uciekać, po latach wracać, łaskawie pieprzyć mnie przez dwa dni, a potem, pod byle pretekstem znów brać ogon pod siebie! Pytałeś, czy ja tego chcę? Twojej łaski?! To wiedz, że pieprzę ją! Za kogo ty się niby masz? Niczym mi, tchórzu, nie imponujesz! Anglista! Belfer zakichany! Karol przynajmniej coś sobą reprezentuje, a ty... nie masz jaj, dla mnie nie jesteś mężczyzną!

Aleks pobladł.

– Życzę ci szczęścia w małżeństwie – rzekł, z trudem hamując się od wybuchu. – Sądząc po tym, jak twój mąż kopnął na dzień dobry twojego psa i jak ślini się do twojej siostry, to szczęście będzie ci potrzebne.

– O mnie mówisz?

Pytanie padło tak niespodziewanie, że oboje drgnęli.

Karol stał tuż obok. Dzielił go od obojga krzew azalii. Wyszedł zza zielonej zasłony i – blady tak samo, jak Aleksiej – powtórzył:

– O mnie mówisz?

Aleksiej uśmiechnął się tylko, mrużąc oczy. Tego mu było trzeba...

Tamten szarpnął Lilkę za ramię, aż się zatoczyła i to był impuls, wyzwalający furię, która od rana narastała.

Jeden cios, drugi, trzeci. W twarz, w splot słoneczny, w szczękę.

Bić, walić dotąd, aż przeciwnik zaleje się krwią, padnie na kolana i będzie błagał o litość.

Gdzieś obok krzyczała Liliana. Niech krzyczy. Nie jest dla niej mężczyzną? Udowodni, że jest. Tamten broni się. Nawet całkiem nieźle. On, Aleksiej, też już krwawi z głowy rozbitej kamieniem (skąd w ręku przeciwnika kamień?), ale ten ból jest dobry. Otrzeźwia. Zaślepiająca furia mija, może uderzać na zimno, celować dokładniej...

Odciągają go czyjeś ręce. Ciskają na bok. Wgniatają w ziemię.

Aleksiej potrząsa głową, by widzieć cokolwiek przez zalewającą oczy krew. Jego spojrzenie pada na klęczącą obok męża Lilkę. Płacze.

Niech płacze.

W tej samej chwili Lilka patrzy na niego. W niebieskich oczach jest tylko bezbrzeżny żal.

Niech żałuje.

Aleksiej podnosi się, odpychając przytrzymujące go ręce.

Odchodzi parkową aleją, w koszuli zachlapanej krwią, przez nikogo niezatrzymywany.

„Nie jestem dla ciebie wystarczająco męski?" – Tylko to kołacze się w obitej głowie. – „Udowodnię ci, że jestem".

Ślub jest zwykle początkiem nowego życia. Przez pierwszy miesiąc tak też wydawało się Lilce. Karol – gdy tylko doszedł do siebie po laniu, jakie sprawił mu Aleks – starał się okazywać swojej żonie miłość, której – tego Lilka była pewna – do niej nie czuł. Ona też go nie kochała, a na pewno nie tak, jak Aleksieja.

Na początku obawiała się, że Karol urządzi jej piekło o faceta, który obił mu twarz, ale... nie. Nie padło ani jedno pytanie, ani jedno słowo wściekłości czy wyrzutu. Lilka wtedy jeszcze nie wiedziała, że Karol lubi przeprowadzać swoje własne śledztwa. Pod przykrywką wolności i zaufania będzie wiedział, z kim się jego żona spotyka, gdzie i w jakim celu.

Aleksieja jednak nie mógł namierzyć. Lilka też nie. Przepadł jak kamień w wodę.

Pytała w dziekanacie anglistyki i romanistyki o Aleksandra Dragonowa, powiedziano jej tylko, że zrezygnował ze studiów. Niewiele więcej wiedzieli jego koledzy z roku.

– Nie pojawił się na zajęciach. Dlaczego? Nie wiadomo. Może ma kłopoty rodzinne?

Chcąc, nie chcąc wróciła do *Collegium Novum*, by odnaleźć Olgę, ale dziewczyna nie chciała z nią rozmawiać. Po błyszczących od łez oczach Lilka poznała, że Aleksiej zostawił także swoją narzeczoną. Gdzie się podziewa? Może w Nadziei?

Przemogła się i zadzwoniła do Anastazji. Ta musiała coś wiedzieć, jednak gdy tylko poznała po głosie, kto dzwoni, rozłączyła się.

Lilce nie pozostało nic innego, jak pojechać do Nadziei, ubłagać Anastazję o informacje, może zobaczyć się z samym Aleksem?

Dlaczego tak jej na tym zależało? Bo nie mogła wybaczyć sobie ostatnich słów, jakimi go obrzuciła. Aleksiej nie jest dla niej mężczyzną? Jest tchórzem bez honoru? Jak ona w ogóle mogła tak pomyśleć? Jak mogła to wykrzyczeć?! Po jej słowach coś się stało. Coś w nim pękło – widziała to w czarnych oczach sekundy przed tym, nim na scenie pojawił się Karol.

Aleksiej zniknął nie z obawy przed zemstą pobitego – on nie bał się niczego i nikogo – to zarzuty Liliany sprawiły, że odszedł ze studiów i zerwał zaręczyny. Porzucił marzenia o żeglowaniu, zostawił dziewczynę, która byłaby dobrą, kochającą żoną – sto razy lepszą niż Lilka – by... No właśnie: gdzie się Aleks podziewał i co chciał zrobić ze swoim życiem?

Może nie żyje?! Takie przypuszczenie przez parę nocy nie dawało Lilce spać. Czy mógł przez nią popełnić samobójstwo?!

Nieee, nie on, nie Aleksiej Dragonow. Prędzej zaszyje się gdzieś niczym ranne zwierzę, a gdy pierwsza wściekłość opadnie, obmyśli na zimno okrutny plan, wróci i zacznie się mścić. To było do niego bardziej podobne.

Liliana musiała uprzedzić cios. Musiała odnaleźć go pierwsza! Nim zrujnuje jej małżeństwo, a dziecko pozbawi ojca i domu. Do tego właśnie wniosku doszła w pewien sierpniowy ranek, gdy Karol wyszedł na uczelnię, teściowa do fryzjera, a ona, Lilka, włóczyła się po pustej willi państwa Łapskich, nie mając zajęcia ani dla rąk, ani dla umysłu.

Jutro. Jutro wsiądzie w pekaes do Nowego Sącza, potem w autobus do Boguszy i przez las, wzdłuż strumienia, pójdzie prosto na polanę, gdzie stał dom Aleksieja i Anastazji. Nadzieja.

Spakowała podróżną torbę, wsunęła ją pod łóżko i z bijącym sercem zaczęła odliczać godziny: do powrotu Karola, do wieczora, do rana...

Tuż przed świtem, gdy półprzytomna ze zmęczenia i zdenerwowania dowlokła się do łazienki, zgiął ją wpół ból tak silny, że długie chwile łapała oddech. Następny skurcz niemal odebrał jej przytomność. Krzyknęła, padając na kolana. Gdy Karol wpadł do środka, Lilka z obłędem w oczach patrzyła na kałużę krwi rozlewającą się dookoła niej.

Godzinę później urodziła dziecko.

Tamtego dnia, gdy lekarz pochylił się nade mną i powiedział, że maleństwa nie udało się uratować, poczułam, co tak naprawdę znaczy słowo „samotność". Ta istotka, którą przez pięć miesięcy nosiłam pod sercem, której na początku nie chciałam, przez którą straciłam miłość mojego życia, a zyskałam męża, była moją nadzieją na to, że nigdy już nie będę sama. Przepadła i ona.

Następnych dni, tygodni, miesięcy nie pamiętam. Wydają mi się dzisiaj jak jedna niekończąca się noc. Ciemny pokój, opuszczone żaluzje, puste korytarze obcego domu... Wyrzuty teściowej, krzyki męża: „Weź się w garść! Zrób coś z sobą! Tysiące kobiet przez to przechodzi, świat się przez jedną niedonoszoną ciążę nie kończy!"

Ale ja nie rozpaczałam li tylko za dzieckiem, opłakiwałam także moją miłość. I siebie. Nad sobą użalałam się najbardziej. Nie miałam pojęcia, że niedługo rzeczywiście będę miała powód do łez. Że los szykuje dla mnie niemiłą niespodziankę: powtórkę z rozrywki, której miałam nadzieję już nigdy nie doświadczyć.

Zaczęło się od awantury o stos brudnych naczyń w zlewie – ja tego nawet nie zauważyłam, pogrążona w depresji – skończyło zaś na solidnym laniu, które po raz pierwszy, ale bynajmniej nie ostatni, spuścił mi mój... małżonek. Tak, tak, uciekłam od ojca, który miał ciężką rękę, trafiłam pod dach takiego samego bydlaka, jeśli nie gorszego. Ojciec po biciu przynajmniej żałował, próbował przepraszać, gdy wytrzeźwiał. Karol na początku całą winą obarczał mnie – to ja przecież leniłam się, nie raczyłam sprzątnąć czy ugotować obiadu. Potem nie szukał nawet winnego...

Ile lat to znosiłam? O dziewięć za dużo. Gdybym miała choć odrobinę hartu ducha, złożyłabym pozew o rozwód następnego dnia, gdy podniósł na mnie rękę. Ja jednak byłam tchórzem. Od zawsze. Tchórzem, którego nie stać nawet na ucieczkę.

„Uciekaj, Lilou, uciekaj!"

Chce wstać, zrobić choć krok, ale nogi jej nie słuchają. Stoi jak słup soli. Jak sarna złapana w sidła kłusownika.

Oni nadchodzą.

Wie, że gdy zostanie, skrzywdzą i ją, i jego. Musi uciekać, wezwać pomoc, ale... nie może ruszyć się z miejsca. Patrzy, jak się zbliżają. Widzi ciemne twarze, widzi płonące chorym blaskiem oczy. W rękach mają kije. I broń. Czarne oko karabinu mierzy raz w nią, raz w niego.

„Uciekaj, Lilith!"

To „Lilith" dodaje jej nagle skrzydeł. Podnosi się i biegnie, biegnie co sił. Byle dalej od tamtych. Ku Nadziei. Dom przybliża się i oddala, niczym pustynna fatamorgana. Bo już nie stoi pośrodku polany, a na żółtych, spalonych słońcem jałowych pustkowiach.

Za plecami słyszy strzał. Tylko jeden. Dom znika jak zdmuchnięta świeca.

„Aleksiej!" – Chce krzyczeć, ale z jej ust wydobywa się tylko szept. Odwraca się i chce biec z powrotem, rzucić się na tamtych z pazurami, odebrać ofiarę, ale wie, że jest już za późno. Na wszystko za późno.

On nie żyje. Krew rozlewa się po żółtym piasku, czarne oczy gasną, wyciągnięta ku niej dłoń opada bezwładnie.

– Aleksiej! – krzyczy po raz drugi, ale odpowiada jej milczenie.

Odszedł. Znów zostawił ją samą. Płyną łzy. Mieszają się z jego krwią. Pierś rwie suchy szloch. To koniec, na wszystko za późno...

– Już dobrze, Lilou, jesteś bezpieczna. Spokojnie, kochana, spokojnie, wszystko będzie dobrze.

Unosi ciężkie powieki. Aleksiej pochyla się nad nią. Oczy ma pełne troski i miłości. Bierze ją na ręce, przytula z całych sił.

– Znalazłem cię. Jesteś bezpieczna – powtarza.

I Liliana mu wierzy. On przecież zawsze dotrzymuje słowa.

Przytomność wracała powoli. Pamięć ostatnich dni także. Most na Wiśle, dworzec kolejowy, długa podróż do Nadziei, do domu, a potem droga przez las i błądzenie, błądzenie, błądzenie... zimno, ciemność, rozpacz i dzwonek telefonu.

„Czekaj na mnie, wytrzymaj, znajdę cię".

Liliana otwiera oczy. Mruga przez chwilę, zdezorientowana. Biały sufit nad głową. Wąskie łóżko. Pachnąca szpitalem pościel. Kroplówka wbita w przedramię. Kap, kap, kap. Obok ekran monitora, a na nim zielona linia skacząca to w górę, to w dół.

Po drugiej stronie ktoś porusza się na krześle, pochyla nad Lilianą. Znów widzi czarne oczy Aleksieja, a w nich śmiertelne zmęczenie, lecz także ulgę. I miłość, niezmienną od lat.

Liliana unosi dłoń, chcąc dotknąć mężczyzny, upewnić się, że nie jest snem. Rękę spowijają bandaże.

– Masz lekkie odmrożenia, Lilou – mówi Aleks przyciszonym głosem. – Ale lekarze dobrze się nimi zajęli. Nie zostanie nawet ślad.

„To nie ma znaczenia" – chce opowiedzieć. – „Czy będę nosiła ślady po dzisiejszej nocy, czy nie, to już nieważne.

Jesteś przy mnie, odnalazłeś mnie i zabierzesz do Nadziei – tylko to się liczy. Chyba, że...".

– Nadzieja... – Ze spękanych ust wydobywa się szept. Sen o zniszczonym, opuszczonym domu powraca. Panika chwyta za gardło. Liliana unosi się na łokciach, gotowa wstać i biec z powrotem do lasu, wzdłuż strumienia, szukać polany. – Nadzieja. Dom. Jest? – Błaga wzrokiem, by Aleks potwierdził. Gdy on mówi: „Jest, Lilou. Czeka na ciebie", z ni to westchnieniem, ni jękiem opada na poduszkę. Znów łzy płyną po policzkach, ale tym razem są to łzy szczęścia. Dotarła do kresu swojej wędrówki. Teraz życie może się kończyć. Albo zaczynać.

CZĘŚĆ IV

Drapieżnik

Aleksiej Dragonow wszedł do pokoju swobodnym, sprężystym krokiem. Jednym rzutem oka ogarnął pomieszczenie: nowa wykładzina, biurko pod ścianą, regał na książki, opuszczone żaluzje, włączone górne światło, cicho szumiąca klimatyzacja. Normalny biurowy pokój jakich tysiące w tym wieżowcu. To dobrze. Niczym nie można się wyróżniać z otoczenia.

Podszedł do okna, uniósł żaluzje. Naprzeciwko, po drugiej stronie Marszałkowskiej, stały kamienice pamiętające czasy wojny. Dołem sunęły samochody, autobusy, tramwaje. Zwykłe poniedziałkowe przedpołudnie. Dla Aleksa dzień ten był jednak szczególny. Dziś zaczynał prawdziwą pracę. Sprawdzono go na wielu stanowiskach, przeszedł wszystkie weryfikacje, zdał śpiewająco wszelkie testy: i na inteligencję, i na wytrzymałość psychiczną, także na sprawność fizyczną. Był gotów – co jego przełożeni stwierdzili z satysfakcją. Trzymali do tej pory tego niezwykłego młodego człowieka niczym asa w rękawie, czekając na wyjątkową okazję – taką, w której użyć karty atutowej można tylko raz. Aleksiej z wrodzoną cierpliwością czekał również, nie poganiając szefów, nie dopraszając się o akcje. Wiedział to samo co oni: zostanie użyty do rozwiązania spraw najwyższej wagi. I dziś właśnie nadszedł dzień, gdy miał wejść do gry.

Krótkie pukanie do drzwi przerwało mężczyźnie obserwację ulicy.

Sekretarka, śliczna, długonoga blondynka, której – gdyby ktoś pytał go o zdanie – Aleksiej nigdy by na to stanowisko nie wybrał, stanęła na progu, odruchowo poprawiając włosy.

– Panie dyrektorze, pan Karski. Był umówiony na czternastą.

– Proszę – odpowiedział, obdarzając dziewczynę cieniem uśmiechu.

Ta nadal stała na progu pokoju, gapiąc się na nowego szefa niczym cielę na malowane wrota. Gdy oblizała karminowe usta i obciągnęła bluzkę, nawet nie zdając sobie sprawy z dwuznaczności tego gestu, Aleksiej zmarszczył brwi.

– Proszę wprowadzić pana Karskiego – powtórzył ostrzej.

Musi pogadać z kimś o tej dziewczynie. Ona ma jedynie odbierać telefony, umawiać spotkania i prowadzić korespondencję. Żadnych innych usług mu nie potrzeba. Kochanki także nie.

Chwilę później mars na twarzy mężczyzny ustąpił miejsca szczeremu uśmiechowi. Podszedł do Andrzeja Karskiego, który właśnie zamykał za sobą drzwi, i wyciągnął rękę, witając gościa krótkim, mocnym uściskiem.

– No, no, biuro niczego sobie. – Andrzej znacząco obejrzał się na drzwi, za którymi zniknęła piękna sekretarka.

– Daj spokój. – Aleks się skrzywił. – Wolałem naszą kwaterę.

– U nas takich lasek nie było.

– Były, były, tylko myśmy ich nie zauważali. Rozumiesz: koleżanki, partnerki, a nie kobiety.

– Aha! I mówi to ten, który żadnej nie przepuścił! – Andrzej zaśmiał się złośliwie, wiedząc, jaka będzie reakcja.

– Nie pieprz! – Aleks od razu się nastroszył. – Nie tknąłem ani jednej...

– Chłopie, wyluzuj! Coś ty się taki poważny zrobił? Biuro w centrum Warszawy i stanowisko prezesa nieistniejącej firmy na mózg ci się rzuciło? Czy tylko poczucie humoru spadło do zera?

– Uważaj na słowa – syknął w odpowiedzi. Andrzej był w porządku, ale czasem igrał z ogniem. – Firma jest jak najbardziej legalna.

– Masz rację. – Mężczyzna spoważniał. – *Sorry*. Już się cieszę na nową robotę i tak mnie to nakręca... – urwał, siadając w fotelu stojącym przy szklanym stoliku pod ścianą naprzeciw okna. – Podniesiesz żaluzje? Ciemno tu jak w grobie.

Po chwili pokój rozświetliło słońce, a Aleks usiadł naprzeciw gościa. Ten przesunął w jego kierunku białą kopertę.

– Tu masz pierwszego kontrahenta.

Aleks wyjął ze środka plik zadrukowanych kartek i zdjęcie. Parę chwil przyglądał się twarzy tego, kogo fotografia przedstawiała, po czym rzucił papiery na stół.

– Odpada. Znam tego gościa.

Andrzej zmarszczył brwi.

– Nic nam o tym nie wiadomo. Nie wystawialibyśmy ci znajomego.

– To było dość... krótkie, choć intensywne spotkanie. – Aleks mimo woli się uśmiechnął. – Obiłem mu mordę na jego własnym weselu.

– Oczywiście poszło o dziewczynę?

– Oczywiście.

Zaśmiali się obaj, by zaraz spoważnieć.

– Dobrze się znaliście przed tym... incydentem?

– Z nią czy z nim?

– Aleks, nie graj głupka!

– Ją znałem od dzieciństwa, jego w ogóle.

Andrzej zamyślił się.

– Przedstawię sytuację szefostwu, ale moim zdaniem nie ma problemu. Facet nie wie o tobie nic oprócz tego, że znałeś jego żonę, tak? Dzięki niej będziesz bardziej wiarygodny. A nic tak nie zbliża, jak przyjacielskie mordobicie.

– Nie było przyjacielskie – mruknął Aleks, patrząc na zdjęcie Karola. Nie miał najmniejszej ochoty na ponowne spotkanie z tym facetem, chociaż manto, jakie mu spuścił, wspominał z dziką satysfakcją. Gdyby powtórnie nadarzyła się okazja...

„Mógłbyś w końcu dorosnąć" – ofuknął siebie w myślach. – „Jesteś teraz poważnym biznesmenem, prezesem firmy deweloperskiej. Gdy nadarzy się okazja, wyciągniesz do Karola dłoń, pomożesz mu wstać, podasz chusteczkę, by otarł z twarzy krew i otrzepiesz garnitur, troskliwie niczym najlepszy przyjaciel. Oczywiście nie ty uprzednio mu wlejesz...".

Ponownie ujął *dossier*, rzucając okiem na pierwszą stronę. „Od sześciu lat w związku małżeńskim, żona Liliana".

„To dlatego nie pałasz chęcią do pierwszego zadania, jakie zlecił ci szef. Ze względu na nią. Lilianę. Musiałbyś ponownie się do niej zbliżyć, patrzeć na nią, czuć jej bliskość i trzymać ręce przy sobie – nie dlatego, że jest czyjąś żoną, ale żoną faceta, którego przy jej pomocy będziesz rozpracowywał. Wykorzystasz ją, by dobrać się do niego".

W tym momencie z pliku kartek wypadło zdjęcie kobiety, a Aleksowi aż dech zaparło. Była taka piękna... Jeszcze piękniejsza niż osiem lat temu. Ujął zdjęcie w dwa palce, zupełnie jakby miało zaraz rozsypać się w pył, i uniósł do oczu. Liliana stała na tarasie, patrząc przed siebie. W spojrzeniu miała tęsknotę, na twarzy smutek, a może tak się Aleksowi wydawało? Może chciał to widzieć?

– Ładniutka. – Andrzej mówiąc to, patrzył nie na zdjęcie, a na mężczyznę. – Masz minę, jakby umarł ci ktoś z bliskich.

– Chrzanisz...

– Coś mi się wydaje, że piękna Liliana była nie tylko przyjaciółką z dzieciństwa. Może faktycznie nie powinno się ciebie w to mieszać?

Aleks wsunął zdjęcie między kartki.

– To, kim dla mnie była, nie ma nic do rzeczy – rzekł stanowczo. – Nie ona jest moim celem, a jej mąż. Kiedyś faktycznie kochałem tę kobietę, ale to było wieki temu. Wyrosłem z dziecinnego zadurzenia.

„Akurat!" – dodał w myślach. – „Gdyby była wolna, pewnie znów byś próbował".

– Zdaj sprawozdanie szefom, przedstaw sytuację – powiedział na głos. – Jeśli oni nie będą mieli nic przeciwko, wchodzę w to.

Uścisnęli sobie dłonie, nagle poważni i – choć żaden nie przyznałby się do tego – przejęci. Aleks za chwilę wejdzie w rolę, do której przygotowywał się od lat. Jak skończy się przedstawienie, tego nikt nie wiedział. Życie jest pełne niespodzianek i nawet najlepiej zaplanowana akcja może pójść źle, bo samochód złapie gumę w decydującym momencie. Mimo to, mimo że ryzykował życiem, stanął do walki, bo jeśli nie tacy jak on, to kto?

– Po pracy spotkamy się tam gdzie zwykle? – zapytał Andrzej, wyrywając Aleksieja z zadumy. Jaką pracę miał na myśli? Dzisiejszy dzień, czy... gdy będzie po wszystkim?

– Pewnie. Będę koło dwudziestej.

Andrzej klepnął go w ramię.

– Owocnego polowania ci życzę. I nie mówię tu o pięknej sekretarce.

Puścił do przyjaciela oko i wyszedł.

Aleks patrzył przez chwilę na drzwi, po czym wrócił do stolika, sięgnął po kopertę i wyciągnął zdjęcie Liliany.

Miałem w ręku twoją fotografię i po raz setny albo i tysięczny, od kiedy widziałem cię ostatni raz, zastanawiałem się, co ze mnie za frajer. Sześć lat temu mogłem w końcu cię zdobyć, zostać z tobą, wspierać cię, chronić... Co z tego, że próbowałaś mnie wrobić w nie moje dziecko? Mniej bym ciebie przez to kochał? A to małe? Przecież lubię dzieci, pokochałbym i je.

Ale nie. Gdy tylko wyszło na jaw, że znów kręcisz, zwodzisz, grasz, że próbujesz mnie wykorzystać, musiałem unieść się urażoną dumą i odejść, zostawiając cię temu dupkowi.

A przecież znałem cię od dzieciństwa! Wiedziałem, że całemu twojemu życiu towarzyszył strach. Że krzywdzono

– Jesteś gotów? – Andrzej rzucił przyjacielowi pytające spojrzenie, choć nie musiał pytać. Dragonow nie przystępował do akcji, jeśli nie był gotów.

– Tylko akcent podszlifuję – prychnął tamten. – *Nu*, Karol, *pagadi*!

– Przykrywkę masz mocną – zgodził się Andrzej. – Robiłeś na nazwisko i swoją TwelveDevelopment wystarczająco długo – to była „legalna" firma Dragonowa. – Mogą cię sprawdzać do porzygania, od przedszkola, niczego nie znajdą.

– Nie chodziłem do przedszkola – sprostował Aleks.

– Serio? Myślałem, że zaczynałeś karierę od najmłodszych lat!

Zaśmiali się.

– Zaproszenie dostaniesz. Pójdziesz sam czy z którąś z dziewczyn?

– Wezmę Jolę. W tych środowiskach nadziany facet bez „przywry" nie jest przekonujący.

Wiedział, był pewien, że na imprezie będzie Liliana. Nie chciał, by widziała go z blond laską przez całą noc wiszącą mu u ramienia, ale nie miał wyboru. Był na służbie.

Dwa dni później znalazł się na przyjęciu.

Świeża krew w środowisku, w którym wszyscy znają wszystkich, wzbudza jednocześnie niepokój, zainteresowanie i podniecenie. Dokładnie tak samo podziałałaby na stado rekinów.

„Kim jest ten facet?" – pytano, ukradkowo wskazując na przystojnego bruneta z nonszalancją wkraczającego

cię, bito, molestowano, a ty – mała samotna dziewczynka, którą byłaś i nadal jesteś, mogłaś tylko uciekać, bo jak przeciwstawić się okrutnemu światu dorosłych i rówieśników, nie mając nikogo, zupełnie nikogo, kto stanąłby po twojej stronie? Jedyny, któremu ufałaś, który przyrzekł cię chronić, był taki sam, jak tamci: miał lepkie ręce i pusty łeb. Myślał o tym, jak się do ciebie dobrać, a nie jakie ty poniesiesz tego konsekwencje.

Gdybym był człowiekiem honoru, w dniu twoich osiemnastych urodzin zabrałbym cię z domu i nigdy więcej byś tam nie wróciła. Nikt więcej nie podniósłby na ciebie ręki, nie patrzyłabyś na staczającego się ojca, nie słuchała awantur. Żaden gnojek nie dobierałby się do ciebie na przerwie, nie zaszczuwałby cię po lekcjach. Poszłabyś na studia – te wymarzone – a ja cały czas byłbym przy tobie. Nie musiałabyś się puszczać, by zdobyć przyjaźń facetów z roku. Nie byłabyś sama. Gdyby zaś któryś choć spojrzał na ciebie, Lilou, nie tak, jak koledze ze studiów wolno, obiłbym mu mordę dla przykładu i cała uczelnia już następnego dnia by wiedziała, że moja żona jest nietykalna. W domu, do którego chciałoby się wracać, co wieczór zasiadalibyśmy do kolacji, co rano budzilibyśmy się wtuleni jedno w drugie. Urodziłoby nam się dziecko, potem drugie, trzecie...

Co mam w zamian za „honor"? Puste mieszkanie, w którym zdycha nawet paprotka, bo nie dbam o nic. Puste serce, bo nie umiem nikogo pokochać.

Co w zamian masz ty? To się dopiero okaże. Jeśli jesteś z tym dupkiem szczęśliwa, oddam sprawę komu innemu. Jeśli zaś nie...

Tak, to się okaże.

Jak rasowy drapieżca Aleks zaczął polowanie od dokładnego rozpracowania ofiary. O ile Karola Łapskiego można nazwać ofiarą – ten uznałby takie określenie za śmiertelną zniewagę. Był wziętym adwokatem. Miał willę w prestiżowej dzielnicy Warszawy (po studiach wrócił do rodzinnego miasta), piękną żonę i szybki samochód. Konto bankowe pękało w szwach.

Aleks na początek przyjrzał się temu kontu.

– Możesz zrobić wydruk? – zapytał Julka, genialnego hakera, który mając do wyboru odsiadkę albo współpracę, od paru lat należał do grupy i teraz, śmigając palcami po klawiszach, włamywał się do bazy danych jednego z największych polskich banków. Biorąc pod uwagę, do czyjej bazy danych włamał się swego czasu, dla Julka była to bułka z masłem.

– Pewnie – mruknął, poprawiając okulary. Wzrok miał dobry, a szkła nosił tylko po to, by w firmie pełnej napakowanych facetów biegających ze spluwami pod pachą dodawały mu szacunku. Nie musiał, bo ci faceci oprócz muskułów mieli także mózgi i umieli z nich korzystać, wiedzieli więc, że w dobie internetu taki Julek jest czasem ważniejszy od brygady AT. – No, bierz. – Skinął na Aleksieja, do którego czuł jednocześnie podziw i niechęć. Dragonow był tym, którym Julek zawsze chciał zostać i którym nigdy nie będzie. – Coś jeszcze ci znaleźć?

– Aha. Tych, którzy przesyłali najwyższe kwoty naszemu panu mecenasowi. O, patrz na to: „OilCom, dwieście tysięcy, obsługa prawna". Znam różnych prawników, ale żaden za prowadzenie spraw nikomu nieznanej spółki nie bierze miesiąc w miesiąc dwóch stów! Dawaj ich na lewatywę. I tych z DeveloperCom też...

Stos wydruków i skanów stron rósł.

„Będę miał co robić w długie samotne wieczory" – pomyślał Aleks. – „Nim się do ciebie zbliżę, Lilou, sporo wody w Wiśle upłynie".

Minęło pół roku, nim Aleksiej mógł powiedzieć, że wie wszystko o Łapskim, jego szemranych interesach, mafijnej klienteli i skorumpowanych przyjaciołach. Cierpliwie śledził mecenasa, poznając jego zwyczaje – od tych niewinnych, jak kielonek czegoś mocniejszego na dzień dobry, po odrażające, jak hulanki z dziwkami w towarzystwie mafijno-politycznym po blady świt. Politycy Aleksieja nie interesowali. Nimi zajmowała się inna komórka „firmy". Dragonow miał wkręcić się przy pomocy Łapskiego w szeregi tych pierwszych. I to nie tyle „w szeregi", bo on nie był od inwigilowania żołnierzy mafii, co po plecach Karolka miał się wspiąć na sam szczyt. Ale jeszcze nie teraz, nie od razu... Zwierzyna była nieufna, płochliwa. Zagrożona nie salwowała się ucieczką – przeciwnie: atakowała, posyłając myśliwego w betonowych butach na dno Wisły. Czasem bez głowy, ku przestrodze innym.

Pół roku trwało więc, nim Aleksiej zdecydował się na następny krok.

– Zdobądź mi zaproszenie na ten raut. – Rzucił Andrzejowi wycinek z brukowca, w którym zapowiadano imprezę integracyjną biznesmenów z Polski i Rosji. Zupełnie, jakby musieli się integrować... – Pora dać się poznać i jednej, i drugiej stronie – dodał.

– Jesteś gotów? – Andrzej rzucił przyjacielowi pytające spojrzenie, choć nie musiał pytać. Dragonow nie przystępował do akcji, jeśli nie był gotów.

– Tylko akcent podszlifuję – prychnął tamten. – *Nu*, Karol, *pagadi*!

– Przykrywkę masz mocną – zgodził się Andrzej. – Robiłeś na nazwisko i swoją TwelveDevelopment wystarczająco długo – to była „legalna" firma Dragonowa. – Mogą cię sprawdzać do porzygania, od przedszkola, niczego nie znajdą.

– Nie chodziłem do przedszkola – sprostował Aleks.

– Serio? Myślałem, że zaczynałeś karierę od najmłodszych lat!

Zaśmiali się.

– Zaproszenie dostaniesz. Pójdziesz sam czy z którąś z dziewczyn?

– Wezmę Jolę. W tych środowiskach nadziany facet bez „przywry" nie jest przekonujący.

Wiedział, był pewien, że na imprezie będzie Liliana. Nie chciał, by widziała go z blond laską przez całą noc wiszącą mu u ramienia, ale nie miał wyboru. Był na służbie.

Dwa dni później znalazł się na przyjęciu.

Świeża krew w środowisku, w którym wszyscy znają wszystkich, wzbudza jednocześnie niepokój, zainteresowanie i podniecenie. Dokładnie tak samo podziałałaby na stado rekinów.

„Kim jest ten facet?" – pytano, ukradkowo wskazując na przystojnego bruneta z nonszalancją wkraczającego na salony. Piękność u jego boku nie wzbudziła żadnych emocji. Tutaj każdy bonzo miał pod ręką podobną, czasem parę dziesięcioleci młodszą, dziewczynę.

Karol Łapski – od paru lat pojawiający się na podobnych imprezach, czasem z żoną, niezłą dupencją, choć niedotykalską, czasem z dziwką – również zwrócił uwagę na nowego gościa. I... niemal upuścił kieliszek z szampanem.

To on! Ten skurwysyn, który... na jego własnym, Karola, weselu...! Na oczach gości i świeżo poślubionej żony...! Oż, ty łachudro...

Nim pomyślał, już przeciskał się przez tłum, już stawał przed Aleksiejem.

– Pamiętasz mnie? – syknął.

Dragonow spojrzał na niego, mrużąc oczy, uśmiechnął się niepewnie i chciał podać mu dłoń, przyjacielskim gestem, gdy cios w twarz cisnął nim o stolik.

Posypało się szkło. Szmer rozmów ucichł, jak nożem uciął. Wszyscy patrzyli na zbierającego się z ziemi nieznajomego mężczyznę i stojącego nad nim mecenasa Łapskiego.

Aleksiej otarł krew z rozbitej wargi wierzchem dłoni i przez chwilę patrzył na Karola takim wzrokiem, że nikt nie miał wątpliwości, że za chwilę rozsmaruje prawnika na ścianie, zmiażdży mu twarz paroma ciosami pięści, a potem skopie na dokładkę – tak, by papuga wiedział, że bezkarnie się nań ręki nie podnosi. Ten pomyślał to samo, ale nie mógł się cofnąć – straciłby twarz przed klientami. Czekał więc z oklapniętymi ramionami na pierwsze uderzenie.

I nagle przez twarz Aleksieja przemknął cień uśmiechu.

Ku zdumieniu wszystkich wyciągnął do Karola rękę.

– Jesteśmy kwita? – zapytał niskim, nabrzmiałym jeszcze od gniewu głosem, w którym pobrzmiewał śpiewny, rosyjski akcent.

Karol podał mu dłoń i uścisnął, z trudem ukrywając ulgę.

– Jesteśmy. To mój przyjaciel. *Drug*. Ze szczeniackich czasów. Pobiliśmy się o moją piękną żonę – powiedział. Przysłuchujący się temu goście zarechotali. – Chodź, Aleksiej, wypijmy za stare, dobre czasy i te nowe, jeszcze lepsze. – Klepnął mężczyznę w ramię, ten – raz jeszcze otarłszy usta z krwi – ruszył za nim w kierunku baru.

Nikt nie mógł wiedzieć, że Aleksiej spodziewał się takiego „powitania", a nawet miał na nie nadzieję. Nic tak nie zbliża jak rewanż na wieloletnim wrogu. Widząc unoszącą się do uderzenia pięść, w ułamku sekundy skalkulował, że przyjęcie ciosu bardziej mu się opłaci niż unik. Jedynie nos musi chronić, bo ze złamanym wiele nie zdziała – miał wnikać w szeregi, a nie pętać się po chirurgach. Cofnął więc o milimetry twarz, by pięść Karola zahaczyła o wargę, widowiskowo ją rozkrwawiając. Nic więcej nie było trzeba.

Teraz przepijali do siebie niczym starzy znajomi nadrabiający lata niewidzenia.

Aleksiej unosił do ust drugi kieliszek, gdy w drzwiach sali pojawiła się Ona. Ręka mężczyzny zastygła na moment bez ruchu. Jego umysł, serce i ciało były jednym wielkim krzykiem: „TO ONA!". Jednak postarał się, by twarz nie wyrażała zbyt wielu emocji.

– Czy to nie twoja żona? – zapytał Karola niemal obojętnym tonem.

Ten obejrzał się przez ramię i machnął ręką w stronę Liliany jak na kelnera. Ta zrobiła krok w kierunku baru i ujrzawszy Aleksieja, znieruchomiała.

W pierwszym momencie, zszokowana jego widokiem (Skąd?! Jak?! Po co?!) chciała uciekać, nie zastanawiając się, jakby to wyglądało w oczach męża i gości, nieprzeparta siła ciągnęła ją jednak ku mężczyźnie.

Wzięła głęboki oddech i spokojnie podeszła do baru, stając między nimi.

– Witaj – rzekła z uśmiechem, choć w oczach miała resztki paniki. – Miło mi ciebie widzieć.

On bez słowa uniósł jej dłoń do ust i ucałował, puszczając w następnej chwili, jakby parzyła. Dotyk skóry tej kobiety, jej ciepło i zapach, tak miłe, tak pożądane, były niemal nie do zniesienia.

– Ej, kochanie, co tak chłodno? To mój przyjaciel! Pamiętasz go pewnie z wesela…

„Przyjaciel?!" – Panika znów rozbłysła w oczach Liliany. – „Do czego zmierzasz?! O co ci chodzi?! Przyszedłeś się mścić czy wprost przeciwnie?"

– Wróciłem do kraju, robić tu interesy – odpowiedział na niezadane pytania. – Mam firmę deweloperską, stawiamy apartamentowce, a Polska to obiecujący rynek. Szukamy partnerów biznesowych, stąd moja obecność na tym przyjęciu.

Liliana odetchnęła z ledwo skrywaną ulgą. A więc to przypadek…

– Poznasz wszystkich, moja w tym głowa. – Karol zasalutował kieliszkiem wypełnionym czystą wódką i wypił do dna. Aleksiej uśmiechnął się tylko i odpowiedział salutem. Nikt nie zwrócił uwagi na trwającą w jego cieniu blondynkę, która w pewnym momencie po prostu ulotniła się, zostawiając nie tyle kochanka, bo nie byli kochankami, co partnera samemu sobie, by mógł osaczać ofiarę bez przeszkód.

Po kilku głębszych, gdy Karol zaczął chwiać się na stołku, byli już z Aleksem zbratani na śmierć i życie. Po następnych tego pierwszego Liliana wzięła pod ramię i wyprowadziła z sali. Nim jednak Łapski zniknął w windzie, zdążył zaprosić Aleksieja na party, które organizował dla klientów kancelarii i przyjaciół.

Tak Dragonow wtargnął po raz kolejny w życie Liliany i stał się jego nierozłącznym elementem na następne dwa lata.

Niespiesznie zyskiwał zaufanie wierchuszki mafiosów z Polski i Rosji. Pił z nimi, fundował dziwki, chodził na imprezy, robił interesy, stawał się „swoim" człowiekiem z każdym tygodniem, każdym przekrętem i każdą przehulaną stówą.

Dom Łapskich na samym początku tej „przyjaźni" został nafaszerowany elektroniką, założono kamery i podsłuchy w każdym pomieszczeniu. Okazały się jednak niepotrzebne. I niebezpieczne. Mafia strzegła swoich tajemnic. Papuga strzegł ich również. Dom systematycznie przeczesywano w poszukiwaniu sprzętu do inwigilacji. Niemal doszło do wpadki, która kosztowałaby Aleksieja co najmniej zdrowie, gdyby nie łut szczęścia.

Po którejś popijawie odwoził Karola do Konstancina – tam właśnie mieszkał mecenas Łapski – gdy ten zaprosił go na „strzemiennego".

– Wejdź, coś ci pokażę – bełkotał, ledwie trzymając się na nogach. – Kupiłem dla Liluni, żeby się nie gniewała. – Zatoczył się na Aleksieja tak, że ten musiał niemal wnieść go do salonu. – Bo wiesz, poniosło mnie wczoraj i przylałem jej tak od serca. Za dużo gada, za dużo! – Aleksiej zesztywniał, puszczając ramię tamtego. To dlatego Liliana nie pojawiła się na przyjęciu! Co jej ten bydlak zrobił?!

Karol, zbierając się z kolan, wyciągnął do Dragonowa rękę, Aleks szarpnął go do pionu. Gdyby mógł, wgniótłby sukinsyna w piękny błyszczący parkiet, ale… nie. Musiał zacisnąć zęby, słuchać dalej i grać przyjaciela.

– Prawdziwy mężczyzna musi trzymać kobietę krótko przy pysku, jak konia, inaczej się znarowi. Czasem poujeżdżać, czasem sprać szpicrutą, a czasem dać kostkę cukru – zarechotał, dumny ze swojej elokwencji. – Zobacz, brachu, co tym razem dostanie ta dziwka na przeprosiny…

Tym razem?! A więc nie pierwszy raz ją uderzyłeś?! „Tę dziwkę"?!

Łapski dotoczył się do biblioteki, nacisnął zapadnię przy jednej z półek zastawionych książkami, których nikt nie czytał, a gdy regał zapadł się na pół metra i pozwolił przesunąć, odsłaniając drzwi do sejfu, wstukał kod, który Aleksiej oczywiście zapamiętał, i wyjął ze środka pudełko od jubilera. Bransoletka z białego złota i brylantów.

– Jak się Liluni zrośnie ręka, będzie ją mogła nosić. – Łapski uśmiechnął się z zadowoleniem.

„Więc złamałeś jej rękę, skurwysynu...” – Aleks zacisnął szczęki. Dużo, bardzo dużo kosztowało go powstrzymanie się od wymierzenia sprawiedliwości. Jeszcze przyjdzie na to czas. Teraz najważniejsze było wykonanie zadania i doprowadzenie sprawy do końca.

– Spróbuje nie nosić – mruknął, patrząc, jak Karol z pijackim zachwytem obraca bransoletkę w palcach, wrzuca ją do pudełka i zamyka sejf. – Chodź, napijemy się strzemiennego i będę leciał.

– Mocny masz łeb, stary – sapnął z uznaniem mecenas.

– Ruski, to mocny.

Łapski zaśmiał się na to.

Aleksiej podał mu wódkę, w której przed chwilą rozpuścił tabletkę rohypnolu. Po tym specyfiku Karolek zaśnie snem kamiennym, a po przebudzeniu – z potężnym kacem – nie będzie pamiętał, że otwierał przy obcym sejf. Aleks za to zapamięta i kod, i to, że nim odejdzie, musi złamać Łapskiemu rękę. Dla równowagi i własnej satysfakcji...

Starałem się bywać w twoim domu jak najczęściej, nie mogłem jednak wzbudzać choćby cienia podejrzeń. Zawsze więc w towarzystwie twojego męża. Patrzyłem, jak się do ciebie odnosi, gdy jest „wśród swoich", jak tobą pomiata, jak cię poniża przy gościach słowami. Czasem nie schodziłaś na dół, zaszyta w sypialni, wtedy wiedziałem, że znów to zrobił. I miałem ochotę poderżnąć mu gardło.

Gdy siniaki blakły na tyle, że mogłaś je ukryć pod makijażem, pojawiałaś się, jak zawsze piękna, i jak zawsze przepraszająca za to, że żyjesz. Gdy zostawaliśmy na chwilę sami, a ja pytałem o niego i ciebie, wynajdowałaś najprzeróżniejsze wytłumaczenia dla brutalności tego bydlaka. Tak jak kiedyś tłumaczyłaś ojca, tak teraz wstawiałaś się za mężem. „To moja wina!" – powtarzałaś niczym mantrę, a ja miałem ochotę potrząsnąć tobą i wykrzyczeć, że jedyną winą jest to, że w ogóle za niego wyszłaś. Ale ciążyło to i na moim sumieniu...

Ile razy prosiłem, byś od niego odeszła... Ile razy przyrzekałem, że zaopiekuję się tobą, gdy zdecydujesz się na ten krok. Kurwa, przecież mamy dwudziesty pierwszy wiek! Dziś nie kamienuje się kobiet, które uciekają od męża-bydlaka! Nie piętnuje się rozwódek! Społeczeństwo bierze stronę ofiar, nie katów! Czy rzeczywiście?

Tu ogarniał mnie pusty śmiech, bo przecież „robiłem w branży". Znałem problem przemocy domowej od podszewki. Nawet jeśli kobieta zdecydowała się zeznawać – a niektóre historie jeżyły włos na głowie – nawet jeśli skurwiel bywał aresztowany, prokurator wypuszczał go wcześniej czy później, by mąż (lub co gorsza tatuś) mógł wrócić na łono rodziny i katować żonę i dzieciaki, jakby nigdy nic, a może jeszcze bardziej, pewien bezkarności, mszcząc się na kobiecie, że na niego doniosła. Więcej nie popełniała tego błędu, a jedyną ucieczką okazywała się śmierć. Ile z samobójstw było de facto nigdy niewyjaśnionymi zabójstwami? Ilu sprawców ukarano?

Żenująco niewielu...

Nikogo nie obchodziła jakaś Kowalska, która w przypływie desperacji rzuca się z dziesiątego piętra. A że mąż ją wypchnął? Kto to udowodni?

Bałem się o ciebie, Lilou. Musiałem mieć jednak nadzieję, że będąc blisko, zdołam cię ochronić. Nim ten skurwiel zatłucze cię na śmierć, dorwę tych, na których poluję, i będę mógł dorwać jego.

Nie było to jednak takie proste.

System potrzebował dowodów. Twardych, mocnych dowodów. A mafia była ostrożna. I kryta na wszystkich szczeblach władzy.

Podstawowym zadaniem Aleksieja było fotografowanie dokumentów, które Łapski składał w sejfie. Przez całe dwa lata, od kiedy poznali się na imprezie, Karolowi nie przyszło do głowy zmienić kodu. Był bardzo pewny siebie.

Kopie dokumentów dostarczały śledczym bezcennej wiedzy o bandytach będących klientami mecenasa, ale równie ważne były informacje i kontakty, jakie Aleks zdobywał „w terenie". Podczas popijaw i balang bonzowie mafii polskiej i rosyjskiej nie raz chlapnęli jęzorem, uznając Aleksieja za swego. Czasem pijanych do nieprzytomności odwoził do domów i po drodze wysłuchiwał łzawych zwierzeń. Ciekawsze były jednak pijackie przechwałki: kto kogo sprzątnął, za co i za ile.

Aleksiej rzadko nosił przy sobie mikrofon i sprzęt do nagrywania, bo bez pardonu bywał przeszukiwany: zaufanie ma granice, w przeciwieństwie do ludzkiej głupoty. Głupotą byłoby ryzykować życiem, a za zdradę była jedna kara. Może dlatego mafiozi byli tak pewni siebie? Spróbowałby któryś polecieć na policję, poskarżyć się za przestrzelone kolano bratanka... Tu załatwiano sprawy we własnym gronie.

Dwukrotnie był świadkiem krwawych porachunków między „trzymającymi władzę", nie wtrącał się jednak, nawet oglądając odcinanie palca. Okaleczanego bandziora nie było Aleksowi żal, krew lejąca się z rany nie robiła na nim wrażenia, wrzaski również – ten bandyta miał na sumieniu tortury i zabójstwa, niech sam trochę powyje. Aleksiej nie miał żadnego interesu, by powstrzymać oprawców, niech tną. On miał wystarczająco niebezpieczne zadanie, by nie wychylać się z pomocą, podczas gdy przyglądający się temu inni goście ze śmiechem robili zakłady, kiedy bandzior zemdleje.

Za drugim razem było trudniej, bo na przyjęciu, w którym Aleks uczestniczył, podłożono ładunek wybuchowy. Niewielki, ale gdyby siedział przy tym, a nie innym stoliku, nie wykpiłby się paroma skaleczeniami...

Praca, przypominająca łapanie kobry, podobała się Dragonowi. Lubił wyzwania, lubił dreszcz emocji i skok adrenaliny. Gdyby nie urodził się tym, kim się urodził, spokojnie mógłby wstąpić do mafii. Siedziałby teraz po drugiej stronie barykady i – znając swój spryt i inteligencję – wodziłby za nos policję, zaś macki organizacji Aleksieja sięgałyby od granicy do granicy...

Mężczyzna uśmiechnął się pod nosem.

„Masz pomysły, człeku" – pomyślał. – „Ty i mafioso. Brzydzisz się tymi degeneratami bardziej, niż ci się wydaje. A oni powoli zaczynają to wyczuwać. Niedługo przyjdzie zejść ze sceny. Oby z tarczą, a nie na tarczy".

Tak rozmyślając, rzucił nieprzytomnego Karola na łóżko, nie troszcząc się o wygodę „zwłok". Wyszedł z sypialni, ale nim zamknął za sobą drzwi, obejrzał się przez ramię z ręką na klamce. Nienawidził skurwiela, który jak gdyby nigdy nic spał snem sprawiedliwego. Gdyby Aleks dostał przyzwolenie, usunąłby ten chwast sposobem krwawym lub bezkrwawym. Ale nigdy nie otrzyma zgody. Łapskim zajmie się kto inny i to nie tak prędko...

Zamknął za sobą drzwi i przeszedł na drugą stronę korytarza. Nacisnął lekko klamkę. Ustąpiła.

Liliana spała, zwinięta w kłębek. Jak zawsze. Chyba tylko przy nim, przy Aleksieju, mogła zapomnieć o strachu, wyciągnąć się na całą długość i zasnąć spokojnie. Tutaj, w domu Łapskiego, za każdy razem, gdy Aleksiej wchodził do jej sypialni, sprawiała wrażenie bezbronnego, zastraszonego dziecka. Tylko kciuka w buzi brakowało.

Cofnął się, nie pozwalając sobie na współczucie.

Cicho zbiegł na parter i nie zapalając światła, podszedł do regału, za którym krył się sejf. Po paru minutach, kopiując nowe, bardzo interesujące dokumenty (czy Karolek zbierał z własnej inicjatywy haki na klientów?) zapomniał o całym świecie.

Ciche „pstryk!" i potok światła zalewający pokój sprawiły, że Aleks znieruchomiał. Gdyby miał przy sobie broń, teraz mierzyłby do tego, kto stał w progu pokoju, ale broni nie miał i sam był pewnie na muszce.

Powoli uniósł do góry ręce, nie puszczając dokumentów. Wiedział, że jeden fałszywy ruch i będzie miał kulę w plecach, oby w plecach...

– To tylko ja. – Usłyszał głos Liliany i wypuścił ze świstem powietrze.

– Przestraszyłaś mnie – odparł, by coś powiedzieć.

Nie śmiał spojrzeć jej w oczy, ale musiał się przecież odwrócić.

Stała pośrodku pokoju, oplatając się ramionami. Drżała pod cienką bawełnianą koszulą, a Aleks nie wiedział, czy z chłodu, czy ze strachu, może z wściekłości? Kto ją, Lilianę, tam wie?

– Nie pojawiłeś się w naszym życiu przypadkiem, prawda? – Odezwała się głosem, w którym brzmiała prośba: „Zaprzecz! Zapewnij, że to był zbieg okoliczności!".

– Nie.

– Szpiegujesz Karola?

– Tak.

– Wsadzisz go za kratki?

Pytanie było proste, odpowiedź też.

– Nie.

Bardzo chciał skłamać, zapewnić Lilianę, że jest tu właśnie w tym celu: by zapuszkować tego sadystę bez zasad moralnych, ale znał scenariusz przyszłych wydarzeń, musiał więc odrzec tak, jak to zrobił.

Liliana, w której oczach jeszcze przed chwilą jaśniał maleńki płomyczek nadziei, po tym krótkim „nie" przygarbiła się, zmalała, zgasła.

Tak chciałby zamknąć ją w uścisku, przyrzec, że wyrwie z tego piekła, że właśnie po to tu jest, jednak nie mógł ryzykować.

– Jesteś w mafii. – Głosem cichym i pełnym bólu raczej stwierdziła niż zapytała.

Aleks zmilczał. Tym razem musiałby skłamać, że owszem, jest po tej samej stronie, co Karol, a nie chciał Liliany okłamywać nawet w tak ważnej sprawie. Zaprzeczenie zaś wiązałoby się ze śmiertelnym ryzykiem.

– Dokończ to, co robiłeś, i idź sobie.

Liliana posłała mu spojrzenie, w którym były pogarda, żal i rozczarowanie – w równych proporcjach. Do tej pory łudziła się, że wszyscy, którzy ją otaczają, to bandyci, z Karolem, adwokatem diabła na czele, i tylko on, Aleks, jest inny. Ale on nie zaprzeczył...

Chciała uciec od tej gorzkiej prawdy, zaszyć się w swojej sypialni i opłakiwać ostateczną utratę Aleksieja i już miała wybiec z pokoju, gdy... ten sam impuls pchnął ich ku sobie w tej samej sekundzie. Dopadli siebie, a Aleks, tak jak niedawno marzył, mógł objąć Lilianę, przytulić z całych sił, zamknąć w ramionach i trwać, wdychając zapach ukochanej kobiety, pragnąc, by ta chwila trwała, by zasnął i więcej się nie obudził.

– Lilou, przebacz mi, przebacz! – zaszeptał. Ona go jednak uciszyła:

– Nic nie mów. Oboje udajmy, że tej rozmowy dziś wieczorem nie było, ja nie zadałam pytań, ty nie odpowiedziałeś. Jutro... od jutra mogę żyć bez ciebie, ale dzisiaj...

Nie dokończyła, całując usta mężczyzny tak łapczywie, z jakąś rozpaczliwą desperacją, jakby rzeczywiście jutro miało nastać bez Aleksieja.

Kochali się cicho, co chwila wstrzymując oddech i nasłuchując, czy na górze nie budzi się Karol. Ale w całym domu oprócz nich zdawało się nie być żywej duszy.

Zapragnęli więc siebie jeszcze raz... Cicho, niczym złodzieje, kradli chwile rozkoszy, które miały im wystarczyć na resztę życia. I znów najpierw zachłysnęła się własnym jękiem Liliana, potem Aleks, uciszony jej dłonią.

Opadli na dywan. Leżeli, wtuleni jedno w drugie, aż na niebie zasrebrzył się świt...

Wreszcie mężczyzna musiał wstać, ubrać się i pożegnać.

– Lilou, ja...

– Ciii, nic nie mów – powtórzyła, kładąc mu dłoń na ustach. – Tak będzie dobrze. Takiego cię zapamiętam.

Bez słowa więc ucałował wnętrze tej dłoni, przytulił do policzka. Jeszcze raz musnął ustami jej ciepłe, wilgotne od łez wargi i odszedł w łagodny mrok przedświtu. Gdy dom Łapskiego zniknął za rogiem, wyciągnął komórkę, włączył i syknąwszy przez zaciśnięte zęby: „Ja ciebie tak nie zostawię", wybrał numer.

Godzinę później został aresztowany pod zarzutem zabójstwa.

Aleksiej stał przy szpitalnym oknie, wyglądając na zaśnieżony park. Za chwilę do pokoju wróci Liliana z wypisem, by zabrać swój skromny dobytek. Potem wsiądą do terenówki, wyjadą z Nowego Sącza drogą do Boguszy. Skręcą w las, w wąską drogę wzdłuż strumienia, by wreszcie wyjechać na polanę, gdzie stoi dom. To tam, do Nadziei, próbowała się dostać Liliana w mroźną noc. Do azylu, o którym nikt nie wiedział, w którym mogli się schronić oboje: i ona, i Aleks.

Ten ostatni pilnie chronił tajemnicy, nawet przed swoimi przełożonymi z „firmy". O Nadziei wiedział tylko Andrzej, bo Aleks miał do niego bezgraniczne zaufanie. Zresztą... to już nie miało znaczenia. „Firma" po wykonaniu zadania została rozwiązana, Aleksiej odszedł ze służby i znalazł zatrudnienie zupełnie gdzie indziej, nie mniej niebezpieczne, dające nie gorszy kop adrenaliny niż praca tajnego agenta, policyjnej wtyki w mafii.

Za miesiąc musiał wyjechać na kontrakt. Już się martwił, jak Liliana poradzi sobie sama w pustym domu, na odludziu, w zimie. Nie. Nie będzie teraz o tym myślał. Będzie cieszył się jej obecnością każdego dnia, każdej godziny, aż do wyjazdu. Potem wróci, podziękuje pracodawcom za dalszą współpracę, tłumacząc to względami rodzinnymi i rozpoczną z Lilianą wszystko od nowa.

Nim jednak do tego dojdzie, musi definitywnie rozwiązać sprawę Karola. Może przyszedł już czas, by go „zdjąć"?

Jeden telefon i mafia dowie się, kto ją rozpracował i wsypał. Łapski już jest właściwie martwy. Zasłużył skurwiel na bolesną śmierć...

Wyszedłszy z willi pana mecenasa po tym, jak kochał się z Lilianą całą noc, Aleksiej wybrał numer swego partnera i przyjaciela. Andrzej mimo godziny czwartej nad ranem odebrał natychmiast.

– Jestem spalony – rzucił Aleks.

– Rozumiem. Ile masz czasu?

– Bez ograniczeń.

– Czyli wdrażamy plan A?

– Jak najbardziej.

Po drugiej stronie rozległo się westchnienie ulgi.

– Spotkamy się u mnie za pół godziny, okej?

– Okej.

Aleksiej rozłączył się, wsiadł do samochodu i ruszył w kierunku Mokotowa, do apartamentowca, w którym miał mieszkanie. Wjechał do garażu, wyłączył silnik i... zdębiał.

Faceci w kominiarkach mierzyli do niego ze wszystkich stron. I to nie z pistolecików, jakich używa policja, a z potężnych giwer, jakie są na wyposażeniu antyterrorystów. Aleks znał doskonale ten rodzaj broni. Sam przecież był swego czasu w AT.

Uniósł ręce w górę, tak, by wszyscy widzieli, że nic nie kombinuje – chłopcy podczas takich akcji bywali drażliwi i mogli odstrzelić mu dłoń (oby dłoń!), gdyby choć palcem kiwnął – drzwi samochodu wyleciały niemal z zawiasów, z taką siłą je otwarto i w następnej sekundzie Aleksiej został wyciągnięty na zewnątrz, ciśnięty o betonową posadzkę i skuty.

Dopiero teraz – choć to absurdalne – mógł odetchnąć swobodnie i włączyć myślenie.

Owszem, mieli wprowadzić plan A, ale nie tak od razu! Musiał przecież zatrzeć ślady! Poza tym zdjąć miała Aleksa ich ekipa, a nie antyterroryści! Nic się tu kupy nie trzymało, chyba że to zupełny przypadek.

Zaraz się tego zapewne dowie.

Po dokładnym obszukaniu, które odbyło się w kompletnym milczeniu, postawiono go na nogi, podprowadzono do nieoznakowanej furgonetki i wepchnięto do środka.

„Mam szczęście, że to nasi, a nie tamci" – pomyślał. Nie chciałby znaleźć się w rękach „kumpli" z mafii. Owszem, był ubezpieczany, chłopcy z „firmy" ruszyliby mu na odsiecz, to jednak zawsze trwa, na pewno dłużej niż strzał w głowę z przyłożenia... Wzdrygnął się. Furgonetka ruszyła. Pozostało mu czekać na rozwój wypadków.

Doczekał się pół godziny później.

– Aleksiej Dragonow? – zaczął szczupły starszy mężczyzna, siadając naprzeciw przykutego do krzesła Aleksa.

Znajdowali się w pokoju bez okien za to z lustrem weneckim przez całą ścianę. Zapewne w którymś z warszawskich aresztów śledczych.

Nim odpowiedział, przyjrzał się pytającemu spokojnym, ale nie wyzywającym wzrokiem. Był po ich stronie, o czym nie mieli pojęcia; nie zamierzał utrudniać policji zadania, stawiać się i pyskować, jego rola skończyła się wraz z telefonem do Andrzeja. Gdzie jest, w mordę, Andrzej z ubezpieczeniem?! Może już go obserwuje? O ile wie, że Aleksa zgarnęli…

– Tak – odparł, oddalając od siebie pytania, na które nie otrzyma na razie odpowiedzi.

– Urodzony 10 września 1980 roku w Czarnobylu?

– Tak.

– Zna pan swoje prawa czy mam je panu odczytać?

– Jeśli to oficjalne przesłuchanie, a nie sądzę, proszę mi je odczytać. Jeśli zaś rozmawiamy towarzysko…

Drugi ze śledczych uśmiechnął się krzywo.

– Towarzysko to ja ci mogę po gębie zaraz przylać.

Aha, czyli to będzie ten zły glina. Starszy facet zganił go wzrokiem. Dobry glina.

– Co robił pan dziś w nocy między pierwszą a trzecią nad ranem?

Aleksiej wbił w niego ostre spojrzenie.

„No tego to ci facet nie powiem… Chyba, że ty powiesz mi, na jaką okoliczność jest to przesłuchanie".

O to zapytał na głos.

– Nie zgrywaj durnia, Dragonow – odparł ten, co grał złego glinę. – Przecież ty ją zabiłeś.

„Przecież ty ją zabiłeś?!" – Aleksiej zbladł. Rany boskie, o czym on mówi?! Liliana!!!

Przełknął głośno ślinę, bo krtań, zaciśnięta niczym pięść, nie chciała przepuścić słów.

– Liliana... – wychrypiał. – Liliana nie żyje?

– Tak ją nazywałeś, gnido? A jak ją dusiłeś, może jeszcze „Liluś"?

– Co ty pierdolisz?! – Aleks zerwał się gwałtownie, nie zważając na skrępowane ręce. – Jeśli nie żyje, to na pewno nie od trzeciej nad ranem, bo pół godziny temu się z nią rozstałem!

Śledczy wymienili spojrzenia.

– Proszę usiąść, bo będziemy musieli wezwać posiłki – odezwał się starszy. – Proszę siadać – powtórzył ostrzej – a wszystko panu wyjaśnię.

Aleks usiadł. Nogi odmówiły mu posłuszeństwa. Strach o Lilkę ustąpił miejsca uldze...

– W pana mieszkaniu znaleziono martwą kobietę. Zmarła między pierwszą a trzecią w nocy z powodu wykrwawienia, ma ślady duszenia na szyi, podejrzewamy więc udział osób trzecich w tym pozorowanym samobójstwie. Stąd pana obecność tutaj.

– Co to za kobieta? Znam ją? – zapytał, choć wolał nie wiedzieć. Bądź co bądź to w jego mieszkaniu znaleziono trupa.

– Alina Drużba.

– Moja sekretarka – mruknął. – Zwolniłem ją parę miesięcy temu, bo była... zbyt natarczywa w okazywaniu mi uczuć. Nieodwzajemnionych, dodam. Nachodziła mnie potem w domu i w pracy, wydzwaniała... To nie graniczyło z obsesją, a nią było. Mówi pan, że nie żyje i wygląda to na pozorowane samobójstwo?

Mężczyzna skinął głową.

– Nim otrzymamy wyniki sekcji i badań mikroskopowych, musimy pana zatrzymać – rzekł.

Aleksiej wzruszył nonszalancko ramionami.

Przeszło mu przez myśl, że to naprawdę niegłupio się składa...

W tym momencie w kieszeni „dobrego gliny" zadźwięczała komórka. Odebrał, słuchał przez chwilę, po czym rzucił:

– Jasne, niech wejdzie.

W następnej chwili drzwi pokoju otworzyły się i do środka wszedł komisarz Jarski, bezpośredni przełożony Aleksieja w „firmie".

Aleks obrzucił go uważnym spojrzeniem, jakim zapewne patrzyłby na każdego, kto przekroczyłby ten próg. Żadnym grymasem nie dał po sobie poznać, że łączy ich służba, a poza nią przyjacielskie stosunki.

Komisarz podszedł do obu śledczych i przywitał się uściskiem dłoni.

– Michał Jarski, CBŚ.

– Dobrze pana widzieć – mruknął starszy mężczyzna.

Aleks docenił fakt, że się nie przedstawił. Może był zwykłym kryminalnym, ale z bandytami z mafii też musiał mieć do czynienia, a ci im mniej wiedzą, tym lepiej. Oczywiście nie dotyczyło to komisarza, który Aleksa znał jak własnego syna...

– To on? – odezwał się teraz. – Aleksiej Dragonow?

Śledczy skinął głową.

– Jesteście nim zainteresowani?

Jarski przytaknął.

– Zatrzymamy go na czterdzieści osiem i od razu złożymy wniosek do sądu o przedłużenie aresztu. Pan Dragonow pozostanie jakiś czas do naszej dyspozycji. – Uśmiechnął się nikle do Aleksieja.

Ten posłał mu ponure spojrzenie. Znał procedury i sam postąpiłby z podejrzanym o zabójstwo dokładnie tak samo, wiedział jednak, że jest niewinny i nie spieszyło mu się do zaplutej aresztanckiej celi. Miał tylko nadzieję, że „firma" postara się o lepsze warunki dla swojego człowieka, niż przysługiwałyby zwykłemu bandycie.

– Panu radzę wystarać się o mocne alibi. – Śledczy zwrócił się do Aleksieja. – O ile oczywiście nie przyłożył pan ręki do śmierci tej dziewczyny.

– Gdybym przyłożył, byłbym ostrożniejszy – prychnął Aleks.

Wszyscy trzej w duchu się z nim zgodzili.

– Jeśli panowie pozwolą, przydzielę do tej sprawy jednego z moich ludzi, Andrzeja Karskiego, to łebski chłopak, może okazać się pomocny.

Aleks uśmiechnął się w duchu. Ciekawe, co „firma" wymyśli, by wyciągnąć go i z tego szamba, i z właściwego... Na razie, co zakrawało na ironię, w warszawskim areszcie był bezpieczny. O ile Liliana go nie wsypie.

– Liliana Łapska potwierdzi moje alibi – rzekł nagle, sam zdziwiony w następnej chwili, że to powiedział. – Tę noc spędziłem u niej w domu.

Śledczy zanotował imię i nazwisko.

– Sprawdzimy.

Wstał i skinąwszy zapraszająco ręką na komisarza, ruszył do drzwi. Po chwili wszyscy trzej wyszli, zostawiając Aleksieja sam na sam z myślami.

Liliana zostanie wezwana na przesłuchanie. Pewnie jeszcze dzisiaj, najpóźniej jutro. Jeśli potwierdzi jego alibi, Aleks wyjdzie. Jeśli nie, spędzi w areszcie parę dni albo tygodni, w zależności od tego, kiedy śledczy otrzymają wyniki badań zmarłej. Dopiero wtedy będą mogli go wypuścić. To wszystko przy założeniu, że dziewczyna popełniła samobójstwo, a nie ktoś je upozorował, by wrobić Dragonowa.

Nie będzie się tym jednak teraz martwił.

Trafi do celi, prześpi się parę godzin, a potem spotka pewnie z Andrzejem i kumpel mu wyjaśni, co się tu, do kurwy nędzy, dzieje...

Nie zdążył jednak przyłożyć głowy do lichej poduszki pamiętającej czasy PRL-u i setki niedomytych głów, gdy zabrano go na kolejne przesłuchanie. Pokój był ten sam, szary, bez okien, z dwoma krzesłami i stolikiem pośrodku, jednak towarzystwo o wiele sympatyczniejsze.

Andrzej Karski, przydzielony do sprawy jako partner Aleksieja, a prywatnie jeden z nielicznych jego przyjaciół, prawdziwych przyjaciół, już czekał w środku.

– Jeżeli nic głupiego nie przyjdzie panu do głowy, każę zdjąć kajdanki – zwrócił się do Aleksieja bez zbędnych wstępów.

Policjant, który przyprowadził zatrzymanego, chciał zaprotestować, ale Andrzej uspokoił go:

– W razie gdyby jednak, jestem uzbrojony.

Po chwili Aleksiej odruchowo rozcierał nadgarstki. Gdy przyłapał się na tym geście, znanym mu nie tylko z filmów, ale i z zatrzymań, których sam dokonał, opuścił ręce.

– Proszę zostawić nas samych. – Andrzej znów mówił do funkcjonariusza.

Ten spojrzał pytająco w kierunku lustra weneckiego, a kiedy usłyszał z głośnika potwierdzenie śledczego, wyszedł, zamykając za sobą drzwi bez klamki.

– Proszę spocząć. – Andrzej wskazał Aleksiejowi krzesło.

Usiedli, przyglądając się sobie z udaną obojętnością.

– Co nieco o panu wiemy – zagaił Karski.

Aleks z trudem powstrzymał się od uśmiechu. Rzeczywiście „co nieco". Jego kumpel wiedział nawet, kiedy on, Aleks, pierwszy raz przespał się z dziewczyną!

– A tego, co wiemy, wystarczy, by wsadzić pana na ładnych parę latek do jednej celi z nieprzyjemnymi facetami.

– Próbujcie – odmruknął Aleks. Tego, że trafi do takiej celi, zaczął się obawiać, miał tylko nadzieję, że „firma" wyciągnie go szybciej, niż „nieprzyjemni goście" zaczną podskakiwać. Aleks umiał zabić jednym ciosem dłoni. Nie chciał jednak ćwiczyć swych umiejętności na współwięźniach.

– Mam dla pana propozycję – zagaił Karski.

– Zamieniam się w słuch.

Tamten odwrócił się w kierunku lustra i odezwał się do ludzi po drugiej stronie, choć było to raczej żądanie, a nie pytanie:

– Możemy to wyłączyć?

Nie czekając na pozwolenie, wyrwał sznur mikrofonu z gniazdka.

– Przypominam, że znajduje się pan na naszym terenie, a to jest własność publiczna. – Ktoś sarknął z drugiej strony szarej ściany – nie wiadomo, czy bardziej zły, że Andrzej się rządzi, czy z tego powodu, że nie będą słyszeć dalszej wymiany zdań.

Karski przepraszająco machnął ręką i rzekł do Aleksieja, nadal zachowując obojętny wyraz twarzy:

– Posypią się aresztowania. Ty sobie, gadzie, posiedzisz, dopóki jakaś prawnicza menda cię stąd nie wyciągnie. Sugeruję Łapskiego. Przyjaciel przyjacielowi nie odmówi.

Aleks się nie odezwał. Przekaz był wyraźny: zgodnie z planem A bandyci, których rozpracowywali, zostaną zdjęci, a Łapskiego wystawi się mafii jako kapusia. Nie od razu oczywiście, wszystko musi przebiegać swoim trybem, by wyglądało jak najbardziej prawdopodobnie – od tego zależy życie Aleksieja – ale tak właśnie obława miała się skończyć.

– Na razie jesteś jednak tu i teraz. W areszcie śledczym i od tego, czy będziesz grzeczny, zależy, jak my cię będziemy traktować. Jesteś inteligentny i jest to chyba dla ciebie jasne.

– Jak słońce. – Aleksiej musiał zaciskać szczęki, by nie wybuchnąć. Ale będą mieli potem chłopaki ubaw, gdy Karski puści im nagranie z tej rozmowy. Bo to, że miał przy sobie sprytny mały aparacik z mikrofonem, było pewne.

– Masz jakieś życzenia? Papierosy? Panienki? – Andrzej zaśmiał się z własnego dowcipu i zaraz opanował. Przecież byli obserwowani! Podsłuchiwani pewnie też!

– Jeśli się zgodzę na papierosy i panienki, policzycie mi to *in plus*? Nic od was, psy, nie potrzebuję. Celę mam wygodną, jedynkę na końcu korytarza i to mi wystarczy.

Andrzej zanotował, że jego kumpel na razie jest zadowolony z panujących tu warunków i lepiej niech „firma" zadba, by nic się pod tym względem nie zmieniło.

– Jeszcze jedno pytanie: co robiłeś dzisiejszej nocy między pierwszą a trzecią? Rozumiesz, że pytam o śmierć dziewczyny znalezionej w twoim mieszkaniu.

O, tu trzeba było odpowiedzieć ostrożnie, bo Karski chce wiedzieć, czy wszystko – do momentu aresztowania – poszło zgodnie z planem.

– Do północy balangowałem w swoim towarzystwie – zaczął wolno, uważając na każde słowo. – Potem odwiozłem mojego przyjaciela mecenasa do domu, możecie sprawdzić nagrania z monitoringu... – W tym momencie przerwał i zbladł. Kaseta! Czy przed wyjściem do Łapskiego wymienił kasetę, na którą przez całą dobę nagrywał się obraz z kamer, również z tej zamontowanej w salonie – w salonie, w którym kochał się do świtu z Lilianą! – na kasetę przygotowaną przez „firmę"?! Andrzej musi to sprawdzić, inaczej będą mieli kłopoty! A on, Aleks, musi mu to teraz przekazać. Powoli, powoli i spokojnie. – Resztę nocy spędziłem w towarzystwie żony mojego przyjaciela. I to również macie na taśmie.

– Nie będzie więc problemu z alibi? – zapytał wesoło Karski, a Aleksiej miał ochotę przywalić mu w łeb. Doprawdy, żadnego! Szczególnie, jak skasują nagranie z kamery!

– Nie zabiłem tej dziewczyny – odwarknął.

– Oczywiście, oczywiście. Chociaż gdyby jednak, nie przyznałbyś się tak od razu, no nie?

Jeśli Aleks umiałby zabijać wzrokiem, Karski padłby w tym momencie trupem.

– Mam przyjaciół. Wyciągną mnie z tego – wycedził.

Andrzej klepnął dłońmi w kolana.

– Nie mam wątpliwości, że będą próbować, ale czy zdołają...

„Zabiję cię!" – przekazał mu Aleks bez słów.

– Będę leciał – odparł tamten, wstając. – Przekażę kryminalnym, że skarży się pan na samotność. Przydzielą panu ze trzech wesołków. – Wyszczerzył do Aleksa zęby w uśmiechu i ruszył do drzwi. Dragonow został na miejscu, nie posiadając się ze zdumienia, że powierzył swego czasu życie temu draniowi.

Po wyjściu Karskiego strażnik zakuł go z powrotem i poprowadził do celi.

Aleksiej mógł się wreszcie położyć i przespać parę godzin... Do następnego przesłuchania.

Mijał trzeci dzień od aresztowania.

Aleksiej przywykł do więziennej rutyny, podłych posiłków, wrzasków w dzień i w nocy, twardej pryczy, cuchnącej poduszki i cienkiego koca. Nie mógł się skarżyć na złe traktowanie, bo na razie śledczy nie mieli powodów, by się nad więźniem pastwić, a i strażnikom nie podskakiwał – był przecież po tej samej stronie barykady co oni wszyscy, jednak dobijała go… nuda.

Do tej pory prowadził życie pełne ruchu i wrażeń. Wspinaczka, wyścigi samochodowe, strzelnica, praca najpierw w brygadzie antyterrorystycznej, potem w głęboko zakonspirowanej komórce do zwalczania przestępczości zorganizowanej, do której to pracy był przygotowywany szereg lat – to wszystko nie pozwalało się Aleksiejowi nudzić choćby przez chwilę. Teraz natomiast, gdy dzień był podobny do dnia, noc do nocy i całymi godzinami nie działo się kompletnie nic, poczuł, co znaczy być więźniem. Przesłuchania stały się miłymi przerywnikami, to samo posiłki. Ciągnący się czas zaczął zabijać ćwiczeniami fizycznymi, na zmianę ze studiowaniem Biblii – była to jedyna książka na wyposażeniu aresztu. O przesyłkach z zewnątrz nie było mowy. Zadziwiające, ale lektura okazała się ciekawa, a niektórzy bohaterowie jeszcze bardziej okrutni i bezwzględni niż bandyci, z którymi miał do czynienia.

Czytał właśnie o zmaganiach doświadczanego przez Boga Hioba, gdy drzwi celi otworzyły się i został wezwany do pokoju bez okien.

– Ma pan kłopoty – rzucił od progu starszy śledczy, który w końcu przedstawił się jako komisarz Lityński. – Pański świadek nie potwierdził alibi.

Aleksiej spojrzał na mężczyznę z mimowolnym zaskoczeniem. A więc Liliana zaprzeczyła! Brał pod uwagę, że to zrobi, chroniąc własną skórę, ale... rozczarowanie wgryzło mu się w serce.

– Skonfrontujemy was oboje, jeśli nie ma pan nic przeciwko temu.

Zupełnie jakby zdanie Aleksieja się liczyło... Nie chciał jej widzieć i nie chciał słuchać, co ma mu do powiedzenia. Nim zdążył to powiedzieć, już wchodziła do pokoju niepewnym krokiem. Posłała Aleksowi spojrzenie zbitego psa i usiadła na brzeżku krzesła po drugiej stronie stołu.

– Zostawiam państwa samych. – Śledczy skierował się do drzwi.

„Samych" było pojęciem względnym, bo w pokoju został funkcjonariusz. Stanął przy drzwiach, obojętnie patrząc przed siebie. Wyglądał na śmiertelnie znudzonego.

– Pytano mnie o tamtą noc – zaczęła cicho. – Ja... położyłam się wcześniej. Wzięłam proszek nasenny, bo nie mogłam zasnąć. Nic więcej nie pamiętam.

– Nie pamiętasz?! – W głosie mężczyzny zabrzmiało rozczarowanie. Takie samo od lat. Znów go zawodziła, znów zdradzała. – Może mam ci przypomnieć, co robiliśmy na dywanie przed kominkiem? A potem na stole w jadalni? Może mam przypomnieć, co szeptałaś, kochając się ze mną przez całą noc?

– Aleksiej, proszę... – W oczach kobiety rozbłysły łzy.

– Nie! To ja ciebie proszę! Powiedz choć raz prawdę! Pomyśl choć raz o mnie, nie o sobie! Dzięki tobie mogę stąd wyjść choćby dzisiaj...

– Ale on mnie zabije! – jęknęła. – Przecież znasz Karola! Rozumiesz mnie, prawda, Aluś?

Dragonow zerwał się z krzesła i cisnął nim przez cały pokój, aż roztrzaskało się o ścianę. Liliana krzyknęła. Stojący pod drzwiami strażnik nagle się ożywił: przyskoczył do więźnia i za wygięte do tyłu, skute kajdankami ręce przycisnął go do podłogi. Do środka wpadło jeszcze dwóch, by pomóc w obezwładnieniu aresztanta, on jednak nie stawiał oporu.

– Zabierzcie mnie stąd – wywarczał, gdy postawili go z powrotem na nogi. – Mam dosyć widoku tej pani.

Wyprowadzany z pokoju przesłuchań nie obdarzył kobiety błagającej go szeptem o przebaczenie nawet jednym spojrzeniem. Przez następne dni miał nadzieję, że Liliana jednak stanie po jego stronie, ten jeden jedyny raz, gdy od niej zależy jego wolność, zdobędzie się na odwagę i powie prawdę. Rozczarował się jednak. Jak zawsze.

Z opałów wyciągnęli go przyjaciele z „firmy", robiąc zrzutkę na niebagatelną kaucję. Potem przyszły wyniki badań zmarłej dziewczyny – to nie samobójstwo było upozorowane, a nieszczęsna próbowała upozorować morderstwo, by jeszcze przed śmiercią zemścić się na ukochanym, który nie odwzajemnił jej obsesyjnej chorej miłości.

Sprawę, nad którą pracował i która dla niego miała tak zaskakujący przebieg, przejęło CBŚ, „firmę" rozwiązano, gangsterzy zostali wyłapani i czekali na pierwsze procesy. Łapski zapewniał każdemu ze swoich klientów najlepszą obsługę prawną, a Aleksiej

Dragonow, biznesmen skompromitowany podejrzeniem o zabójstwo młodej kochanki – pewnie dobrze posmarował, by sprawie ukręcono łeb – mógł zniknąć z horyzontu, nim któryś z bandziorów zacznie się zastanawiać, kto mógł ich wszystkich sypnąć.

Tego dowiedzą się w swoim czasie.

Aleksiej nie mógł pozostać w policji. Równie dobrze mógłby włożyć koszulkę z napisem: „Byłem wtyczką w mafii" oraz czapeczkę: „Tu celować", a wbrew wszystkim rozczarowaniom, jakie to życie ze sobą niosło, nauczył się je cenić.

Wystarał się za to pewnymi kanałami o polecenie do Blackwater – największej i najlepszej firmy ochroniarskiej na świecie, która działała w skrajnie niebezpiecznych warunkach, przeważnie na terenach objętych działaniami wojennymi czy po prostu wojną.

Przeszedł morderczy trening, zdał testy na sprawność fizyczną i odporność psychiczną, ale takie, przy których te do antyterrorystów zdawały się lekcją wuefu, i właśnie czekał na pierwszy kontrakt – miał dołączyć do zespołu Blackwater w Iraku – gdy o czwartej rano odezwała się komórka, przypominając o imieninach Liliany.

Czasem to przypomnienie, dźwięk pewnej piosenki sprzed lat, było jedyną pewną rzeczą w życiu Aleksieja. Gdzie by go nie dopadło – samotnego czy w towarzystwie – przypominało mu o pewnej małej dziewczynce, którą pokochał, gdy miał osiem lat, gdy świat był pełen niespodzianek i zwykłej dziecięcej radości, gdy owa mała dziewczynka stała się jego pierwszym prawdziwym przyjacielem, gdy żyła jeszcze Anastazja, a dom w Nadziei stał się na długie lata prawdziwym domem osieroconego chłopca.

O tym przypominał dźwięk telefonu.

I Aleksiej, patrząc na wyświetlacz, decydował, czy tego roku bardziej Lilianę kocha, czy nienawidzi. Jeśli to pierwsze – wysyłał SMS z życzeniami dla Lilou. Jeśli to drugie – pisał parę słów do Lilith, wyłączał telefon i szedł do kuchni, wypić toast czystą wódką za swoją głupotę i za czarną duszę Lilki, oby się smażyła w piekle.

Tym razem wysłał życzenia.

Wyjeżdżał na niebezpieczną misję i nie chciał odchodzić bez pożegnania, choćby takiego: zwykłym krótkim SMS-em. Gdy oddzwoniła... gdy dowiedział się, że błądzi w mroźną noc, szukając Nadziei...

– Gotowa? – Objął Lilianę wpół i pochylił głowę, całując ją w pachnące szamponem włosy. W odpowiedzi uniosła jego dłoń i wtuliła usta w ciepłe wnętrze. Poczuł, jak łzy napływają mu do oczu. Nie chciał wyjeżdżać...

Drzwi szpitalnego pokoju otworzyły się nagle.

Odsunęli się od siebie niechętnie, widząc lekarza prowadzącego.

– Mógłbym zamienić z panem dwa słowa? – Uśmiechnął się do Aleksieja. – Pani Liliano, przepraszamy na moment, chcę wiedzieć, czy opatrunki na pani rękach będą zmieniane tak, jak trzeba, to bardzo ważne w przypadku odmrożeń.

– Oczywiście – odparła.

Aleks wyszedł za lekarzem i skierował się do jego gabinetu. Za drzwiami pokoju krzepiący uśmiech na twarzy doktora zgasł.

– Jest pan najbliższą osobą pacjentki, jak mniemam? – upewnił się. – Gdy tu przyjechała, zastanowiła mnie jej chudość, dosyć nienaturalna w wieku trzydziestu jeden lat, i zasinienia na skórze.

– Mąż się nad nią znęcał. Dlatego uciekła – odrzekł Aleks niechętnie. W oczach lekarza widział ten sam wyrzut, który czynił sobie: mogłeś jej pomóc, są narzędzia prawne, by ukrócić przemoc w rodzinie.

– Domyślałem się tego, choć przyznam, że podejrzewałem pana. Pani Liliana podczas którejś rozmowy wyprowadziła mnie z błędu. Wiem, że jest pan jej przyjacielem, a nawet kimś więcej.

– Kocham ją od dwudziestu pięciu lat – odparł Aleks krótko.

Lekarz milczał chwilę, zastanawiając się nad następnymi słowami i wreszcie zaczął:

– Będzie pan teraz Lilianie szczególnie potrzebny...

– Ten łachudra już jej nie zagrozi – zapewnił doktora, ten jednak pokręcił głową.

– Nie to miałem na myśli. Podczas przyjęcia pacjentki, widząc tę chudość i ślady na ciele, zleciłem dodatkowe badania... potem odnalazłem jej lekarza w Warszawie i... – Doktorowi słowa przychodziły z trudem. Jak powiedzieć mężczyźnie, który od dwudziestu paru lat kocha kobietę, że ona...

– Liliana ma raka trzustki. Nieoperacyjnego.

Aleksiej zamrugał, nie zrozumiawszy w pierwszej chwili. A gdy doktor powtórzył łagodnie i ze współczuciem „Pana ukochana umiera. Proszę być przy niej. Do końca", ziemia usunęła się Aleksowi spod nóg.

Poczuł, że mdleje, więc usiadł ciężko, złapany pod łokieć przez lekarza i zaczął łapać oddech, jak po ciosie w splot słoneczny.

– Tak mi przykro, panie Aleksieju, że to ja musiałem... Bardzo mi przykro... – Gdzieś z oddali dobiegał stłumiony głos lekarza, jednak Aleks miał w umyśle tylko pustkę. I jego poprzednie słowa, w których prawdziwość nie mógł wątpić: Liliana umiera na raka trzustki.

Łzy napłynęły mu do oczu.

Dlaczego?! Dlaczego teraz, gdy wreszcie mogą być razem, mogą kochać się i żyć pod jednym dachem, we wspólnym domu, dlaczego wtedy, gdy mogą stworzyć kochającą się rodzinę, której ani jedno, ani drugie nigdy nie miało, los wystawia ich oboje do wiatru, na Lilianę zsyłając raka, a na Aleksa strach o każdy jej oddech, każde uderzenie serca, które dzieli ją od śmierci, a potem samotność, gdy ona odejdzie. Samotność bez nadziei?

Dlaczego?

– Proszę napić się wody.

Poczuł wilgoć na ustach, przełknął jeden łyk i zakrztusił się własnymi łzami.

Dlaczego?

– Jak długo...? Ile czasu...? – próbował zapytać, słowa z trudem przechodziły przez gardło.

– Kilka miesięcy. Może pół roku... – Lekarz wiedział, o co chce zapytać. Każdy bez wyjątku pytał o to samo: ile czasu zostało ukochanej osobie. – Może pan sprawić, by było to najpiękniejsze pół roku w życiu Liliany.

„I to ma być pocieszenie?!" – chciał wybuchnąć, czując ten straszny żal i ból rozsadzający piersi, ale... milczał. Wstał, pożegnał lekarza skinieniem głowy i ruszył, jeszcze chwiejnie, do drzwi.

Lilianie wystarczył rzut oka na śmiertelnie bladą twarz Aleksieja, by zrozumiała wszystko. Podbiegła do niego, objęła ramionami i pozwoliła się tulić, i płakać, i szeptać słowa miłości do niej, Lilou, i nienawiści do losu, Boga, siebie samego... Może gdyby był przy niej, nie zachorowałaby?

– Aluś, Aleksiej... – Gładziła go po włosach. – Jesteśmy razem i już będziemy, prawda? Nie zostawisz mnie? Nie oddasz, gdy tamten... tamten mnie odnajdzie?

Otarł łzy i spojrzał jej prosto w oczy.

– Nie oddam, Lilou. Nikomu – przyrzekł.

Kiwnęła głową, wreszcie spokojna. Aleksiej dotrzymywał słowa.

Jechali terenówką w kierunku Boguszy. Mężczyzna prowadził szybko, ale pewnie. Liliana oparła głowę o zagłówek siedzenia i spoglądała przez okno samochodu na mijany krajobraz. Wspomnienia z dzieciństwa wracały. Wtedy jechała do domu na polanie, podekscytowana i szczęśliwa, u boku Aleksieja, ale on miał lat osiem, ona sześć. Przyszłość zdawała się być wielką, radosną niespodzianką. Teraz oboje byli ćwierć wieku starsi, a najbliższe miesiące, które były przed nimi, nie niosły ze sobą ani niespodzianek, ani tym bardziej radosnych.

Mimo to cieszył Lilianę każdy kilometr tej podróży przybliżający ją do Nadziei.

– Dom stoi? Jest cały? – Pytanie wracające ilekroć myślała o tym miejscu wypowiedziała na głos.

Aleksiej spojrzał na swoją towarzyszkę z czułością w szarych oczach.

– Stoi, Lilou. Dlaczego tak się tym martwisz?

– Miałam sen, w którym widziałam same zgliszcza. A że takie sny, żywe sny, przeważnie się spełniają... Uwierzę, że to był tylko senny koszmar, gdy na własne oczy zobaczę Nadzieję.

– Nie martw się. Gdy dziś rano wyjeżdżałem do ciebie, jadłem śniadanie we własnej całkiem kompletnej kuchni.

Uśmiechnęła się.

– Jak udało ci się wyrwać z łap Karola? – zapytał ostrożnie, nie do końca pewien, czy Liliana chce o tym opowiedzieć.

Chciała. Była gotowa.

– Po twoim aresztowaniu, wtedy, gdy nie dałam ci alibi, po raz pierwszy pomyślałam o rozwodzie – zaczęła przepraszającym tonem. – Powiedziałam Karolowi, że nie jestem z nim szczęśliwa, że nic od niego nie chcę z wyjątkiem tego, żeby tylko pozwolił mi odejść. Od razu domyślił się powodu... Zrobił awanturę... – Aleksiej domyślił się, co Lilou miała na myśli, mówiąc „awantura", skuliła się odruchowo, jakby ktoś chciał ją uderzyć, choć tutaj, u boku kochanego mężczyzny była bezpieczna. – Zagroził, że jeśli spróbuję go zostawić, dorwie mnie i zabije. Ja... przestraszyłam się i zostałam. Odczekałam parę miesięcy i po raz pierwszy próbowałam uciec. On okazał się czujny, znalazł spakowaną torbę i... wyperswadował mi ten pomysł z głowy. Stawał się coraz gorszy. Pił i... robił awantury, ale chyba najbardziej obrzydliwe było to, że zaczął do domu sprowadzać kochanki. Wiesz, z kim go kiedyś przyłapałam?

Aleksiej domyślał się, bo Łapski nie od dziś się łajdaczył, a Aleks nie od dziś go rozpracowywał.

– Z Elżunią. Moją przybraną siostrą.

Liliana przymknęła oczy, mając pod powiekami tę upokarzającą scenę.

Wróciła z biblioteki, od razu wiedząc, że Karol jest w domu. Tylko on potrafił samym swoim pojawieniem się uczynić z mieszkania chlew. Buty zrzucał byle gdzie, łachy też, ciskał na podłogę pustą paczkę papierosów czy puszkę po piwie, mając potem ubaw, kiedy Liliana na kolanach po nim sprzątała. Lubił się znęcać nad słabszymi, a szczególnie nad swoją piękną żoną.

Tym razem ktoś mu towarzyszył, bo chlew, jaki zastała, wyglądał na podwójny.

Z sypialni na górze doleciały Lilianę męski głos i kobiecy chichot.

Ruszyła po schodach na górę, uchyliła drzwi, zajrzała do środka i... cofnęła się gwałtownie, zatykając usta dłonią, bo mdłości podeszły jej do gardła. Pośrodku łóżka zabawiał się Karol z Elżunią, a Liliana nie wiedziała, czy bardziej zbrzydził ją widok siostry z mężem, czy to, w jaki sposób go zaspokajała...

Jeszcze dziś, mając to wszystko już za sobą, pobladła na samo wspomnienie.

– Uprzedzałeś mnie w dniu ślubu, że tak będzie – wyszeptała. – Gdybym cię posłuchała...

Sięgnął po jej zimną, szczupłą dłoń i uścisnął.

Gdyby zamiast ją uprzedzać, po prostu zabrał wtedy sprzed ołtarza, wywiózł i wziął za swoją żonę...

– Wróciłam wtedy na górę, nie myśl sobie, próbowałam wyrzucić tę wywłokę za drzwi, ale ona mnie wyszydziła, bo ponoć spotykali się z Karolem od samego początku. On kazał mi się zamknąć, a kiedy zaczęłam się pakować, po prostu wyrwał mi z rąk torbę, zabrał torebkę i zaczął mnie pilnować. Wytrzasnął skądś osiłka, takiego tępego Lesia, ponoć z agencji ochroniarskiej, którego zaprogramował na jedno: na krok nie odstępować pani Lili, dopóki pan domu nie wróci. I Lesio chodził za mną nawet do toalety. Ale zostawał pod drzwiami – próbowała żartować, chociaż miała w oczach smutek. – Tak to trwało następne pół roku... Wiesz, dzięki czemu nie oszalałam i nie zrobiłam sobie czegoś złego?

To Aleks również wiedział, ale nie mógł Lilianie się przyznać, że sprawdzał jej komputer, choć nie śmiał czytać pamiętnika.

– Pisałam. Opowiadania i wiersze. O Nadziei, o tobie, o nas... O naszym domu, rodzinie, dzieciach... Czasem tamta rzeczywistość zdawała mi się prawdziwsza niż ta za ścianą czy za oknem. Całkiem odlatywałam. – Uśmiechnęła się ponownie, ale tym razem uśmiech sięgnął oczu. – A potem zaczęłam chorować. Chuda byłam od zawsze, ale nie aż tak, jak ostatnimi czasy. Gdy lekarze postawili diagnozę, wiesz, rak trzustki, podstępny, bo długo nie dawał o sobie znać, gdy pojawiły się pierwsze objawy, było za późno na operację, chyba przyjęłam to z ulgą. Wiedziałam, że jeśli nie odejdę od Karola, to w jakiś sposób jednak mu ucieknę. Pewnego dnia wszystko się zmieniło...

Aleksiej pozwalał jej mówić, nie odzywając się ani słowem.

– Karol wpadł do domu i zaczął pakować walizki. Krzyczał jak obłąkany, że jego dni są policzone, że jest skończony i że musimy wyjechać tam, gdzie nas nie znajdą. Powiedziałam, że nigdzie nie jadę, że może sobie sam uciekać do Stanów czy do Chin, czy gdzie tam chce, ale ja zostaję. Gdy rzucił się na mnie z pięściami, chwyciłam to, co miałam pod ręką – patelnię z gorącym tłuszczem – i jak mu nią nie przypieprzę! Padł jak długi. Sprawdziłam, czy żyje, ale takiego gada łatwo nie ukatrupisz. Związałam go, zakneblowałam i zamknęłam w kotłowni. Potem spakowałam się w jedną torbę. Byłbyś ze mnie dumny, gdybyś widział, jaka byłam w tej chwili spokojna i opanowana, i wyszłam z domu, zostawiając Lesiowi kartkę, gdzie może znaleźć pana. Po drodze na dworzec sprzedałam samochód, ogołociłam konto, a na koniec utopiłam w Wiśle laptop i telefon oraz karty kredytowe. Wszystko, co mogłoby naprowadzić Karola i jego psy na mój trop. Na nasz trop. Bo o Nadziei nikt nie wie, prawda?

– Nikt – odrzekł Aleksiej i skręcił z szosy na leśną drogę. – Naprawdę jestem z ciebie dumny. Pomyślałaś o wszystkim, mimo że okoliczności były, delikatnie mówiąc, dramatyczne.

Zaśmiała się z jego dyplomacji.

– Już dawno chciałam Karolowi przypierniczyć czymś ciężkim. Należało mu się. Dobrze, że go nie zabiłam, prawda? Miałabym kłopoty... Zacząłby mnie szukać nie tylko Karol, ale i policja.

– Nie martw się więcej tym skurwielem – odparł Aleks. – Wiedział, co robi, usiłując zwiać, ale się nieco spóźnił. Pewnie już dorwali go niedawni przyjaciele z mafii.

Liliana milczała przez chwilę, bijąc się z myślami.

– Wybacz, że o to pytam – zaczęła – ale... czy ty... nadal do niej należysz?

Aleks prowadził jeszcze chwilę w milczeniu, po czym zatrzymał samochód, ujął twarz kobiety w dłonie i odrzekł:

– Nie należę i nigdy nie należałem. Byłem policyjną wtyką, stąd moja obecność w twoim domu, Lilou. Wybacz mi, że skłamałem, gdy o to pytałaś i wybacz, że w ten sposób cię wykorzystałem.

Liliana przytrzymała jego dłonie.

– To ty mi wybacz, że w ciebie zwątpiłam. I wszystko, czym cię raniłam do tej pory... Przepraszam.

Otarł łzy z jej policzków, przeciągnął dłonią po oczach i rzekł:

– Chodź, Lilou, Nadzieja czeka.

Tu, na polanie okolonej wiekowymi jodłami czas płynął inaczej albo w ogóle stał w miejscu. Dom z modrzewiowych bali, o grubych ścianach i spadzistym dachu charakterystycznym dla terenów górskich zdawał się drzemać w promieniach popołudniowego słońca, czekając na Lilianę, jakby ona – wtedy mała dziewczynka, teraz kobieta – wyszła zaledwie na chwilę i właśnie wracała.

Stary płot z drewnianych sztachet, na których denkami do góry tkwiły gliniane dzbanki, firanki w oknach, pracowicie wydziergane na szydełku jeszcze przez babkę Anastazji, ławka, na której wygrzewał się pręgowany kot podobny do tego sprzed lat: to wszystko wprawiło Lilianę w osłupienie i uczucie *déjà vu*, które zarówno cieszyło, jak i niepokoiło, ale wkrótce ustąpiły one miejsca poczuciu głębokiej przynależności do tego domu, tego miejsca i mężczyzny, który stał tuż obok. Spokój emanował z otoczenia, spływając na roztrzęsioną kobietę. Poddała się mu, zamknęła oczy, wdychając rześkie, pachnące jodłą powietrze. Chłonęła całą sobą otaczającą ich ciszę, przerywaną tylko nawoływaniem ptaków.

– Jestem szczęśliwa – wyszeptała po długiej chwili, patrząc na Aleksieja szeroko otwartymi, zdumionymi oczami.

Bez namysłu chwycił ją na ręce, podrzucił w górę, aż pisnęła, po czym przekroczył próg domu tak, jak powinien to zrobić już dawno temu, biorąc w obliczu Boga tę oto kobietę za towarzyszkę reszty życia, a jeśli Bóg pozwoli, to i za żonę.

CZĘŚĆ V

Ostatni pierwszy dzień

Miesiąc, który spędzili razem w Nadziei, był najszczęśliwszym w życiu i Liliany, i Aleksieja.

Ona po raz pierwszy czuła się kochana bezgranicznie i bezwarunkowo otoczona opieką mężczyzny, który od zawsze był jej przeznaczony. Zasypiała w jego ramionach, bezpieczna i spokojna, budziła się wtulona w niego, by zacząć z uśmiechem nowy dzień, kolejny dzień ich wspólnego życia.

Aleksiej po raz pierwszy mógł bezkarnie kochać swoją Lilou, rozpieszczać ją, karmić własnoręcznie gotowanymi obiadami, tulić do snu, być przy niej w dzień i w nocy, jak zawsze pragnął.

Gotowali dla siebie obiady, przynosili sobie śniadania do łóżka, wieczorem jedli na ganku kolację... Liliana utraciła chorobliwą bladość, nabrała też nieco ciała, bo wreszcie zaczęła spać i jeść, a przestała się bać. Myśli o tym, że jej czas się kończy, że jest śmiertelnie chora, właściwie umierająca, oddaliła od siebie, pragnąc cieszyć się każdą minutą, jaka im pozostała.

Całe dnie spędzali razem. Rozmawiali – a mieli o czym: od wspomnień z dzieciństwa po wydarzenia ostatnich miesięcy, czasem czytali, każde zagłębione w swojej lekturze. Liliana sprzątała dom, Aleksiej rąbał drewno do kominka... Zwykłe zajęcia dwojga ludzi mieszkających pod jednym dachem, których cieszy codzienność. W nocy zaś... Aleksiej nie tyle kochał się z Lilianą, co afirmował ją i jej ciało. Każdy pocałunek, muśnięcie dłoni, nawet spojrzenie było hołdem składanym ukochanej kobiecie. Lilianę wzruszało to do łez... Kiedyś rzucali się na siebie zachłannie, żeby nasycić odbierające zmysły pożądanie. Teraz cieszyło poczucie bliskości i przynależności do siebie i do swojego miejsca we wspólnym życiu. Mogli godzinami leżeć przytuleni, mogli jedynie na siebie patrzeć albo choć przebywać w tym samym pokoju. Tak, to wystarczało do szczęścia. Aleksiej uwielbiał spędzać wieczory przy płonącym kominku: czytał książkę albo pracował przy komputerze nad materiałami szkoleniowymi dla nowej firmy, Liliana zaś stukała pracowicie w klawisze nowego laptopa, pisząc opowiadania, a może i powieść. Takie godziny, ciche, ciepłe i wspólne, były bezcenne i dla niego, i dla niej.

Gdy Liliana odpoczęła po ucieczce zakończonej szpitalem i nabrała sił, zaczęli wędrować po lesie, wzdłuż strumieni, ścieżkami albo po prostu na przełaj. Na początku Aleksiej był jej przewodnikiem, po paru dniach poznała otoczenie na tyle, by wyruszać sama. Musiała się usamodzielnić, bo czuła, że rozstanie wisi w powietrzu. On o tym nie wspominał, ona nie pytała. Z wyrazu twarzy ukochanego mężczyzny, z pełnego żalu spojrzenia, jakim patrzył w dal, gdy siedzieli na ganku zamyśleni i cisi, domyślała się, że będzie musiał odejść. Ale wróci. Tego była pewna.

Na razie zaczął znikać na długie godziny w lesie.

– Muszę trochę potrenować – wyjaśnił pewnego ranka, przebrany w cienki dres, mimo że za oknem panowała typowa dla przełomu lutego i marca pogoda: było zimno, wietrznie i deszczowo. – Ty nie wychodź. Mogłabyś się przeziębić.

– Ty przeziębisz się na pewno! – zaprotestowała, biorąc w dwa palce rękaw dresu.

Zaśmiał się.

– Niedługo się rozgrzeję.

I rzeczywiście, na obiad wrócił zlany potem.

Gdy wszedł do łazienki, by przebrać się w suche ubranie, Liliana nieśmiało wsunęła się za nim. Na chwilę zaparło jej dech w piersiach – jak zawsze, gdy widziała jego wspaniale umięśnione ciało, szczupłe i gibkie jak u pantery, bez grama zbędnego tłuszczu. W podbrzuszu czuła narastające gorąco, czego Aleksiej był doskonale świadom. Odwrócił się, nadal nagi, przylgnął do niej tak, że nawet przez spodnie i bluzę czuła ciepło jego skóry i zaczął całować, aż nogi się pod nią ugięły.

– Poczekaj, poczekaj! – zaszeptała.

Ujął twarz Liliany w dłonie i zajrzał głęboko w oczy, wyczytując w nich pytanie i niepokój.

– Za dwa tygodnie wyjeżdżam na kontrakt – zaczął, nim zdobyła się na prośbę o wyjaśnienie. – Muszę trochę poćwiczyć, będę więc znikał przedpołudniami. Nie będziesz miała mi tego za złe, prawda, Lilou?

– Dokąd wyjeżdżasz? – odpowiedziała pytaniem na pytanie.

Przez chwilę zastanawiał się, jak najdelikatniej przekazać jej tę wiadomość.

– Pracuję w znanej agencji ochrony. Eskortuję konwoje z pomocą humanitarną...

– Dokąd, Aleksiej? – powtórzyła, czując, że nie chce tego wiedzieć.

– Do Iraku.

Padło to słowo. Nazwa miejsca, które było obecnie piekłem na ziemi. Gdzie trwała krwawa, bezpardonowa wojna. Aleksiej odetchnął, bo tajemnica zaczęła mu ciążyć. Nie chciał niczego przed Lilianą zatajać, ale wolał nie ranić jej perspektywą rozstania.

– Na jak długo? – pytała dalej martwym głosem.

– Na dwa miesiące. Nawet nie spostrzeżesz, że mnie nie ma, jak już będę z powrotem.

– Spostrzegę.

Objął ją i przytulił mocno.

– Wybacz, Lilou, nie chcę cię zostawiać, ale muszę wywiązać się z umowy, po prostu muszę. Wiesz, że dotrzymuję słowa.

– Mnie też dałeś słowo, że mnie nie zostawisz.

– Nie zostawiam cię! Wyjeżdżam do pracy i wrócę, jak tylko ją zakończę!

– To nie jest byle praca. Tam trwa wojna.

– Jedziemy pod flagą Czerwonego Krzyża. Nie będziemy angażować się w konflikt. Nic nam nie zagraża.

– Pojadę więc z tobą.

Jego reakcja była natychmiastowa:

– Nigdzie nie pojedziesz – warknął tonem, jakim nigdy się do niej nie zwracał.

Liliana otworzyła szeroko oczy ze zdumienia, a potem odpowiedziała z łagodnym uśmiechem:

– Ależ kochanie, to misja Czerwonego Krzyża... Nic nam nie zagrozi...

Chwycił ją za ramiona. Nadal był nagi, ale teraz ta nagość zamiast pożądania budziła respekt.

– Lilith, zostaniesz tutaj i będziesz na mnie czekała.

– Kocham cię i chcę być...

– Jeżeli mnie kochasz, tak właśnie udowodnisz swoją miłość. Zostaniesz, bym nie musiał umierać ze strachu o ciebie. Dobrze, Lilou? – Znów w jego głosie brzmiała czułość.

Kiwnęła nieprzekonana głową.

– Może tak byłoby łatwiej? – szepnęła do siebie. – Umrzeć gdzieś tam, na wojnie, szybko, od kuli, zamiast dogorywać miesiącami, zżerana przez raka?

– Póki życia, póty nadziei – powiedział cicho, zamykając ją w ramionach.

Pokręciła nieprzekonana głową i pozwoliła się ukochać...

Tygodnie do wyjazdu Aleksieja zmieniły się w dni, a te nagle w godziny.

Nadszedł ranek, śnieżny i słoneczny, gdy mężczyzna musiał spakować parę osobistych drobiazgów – resztę wyposażenia, od szczoteczki do zębów, po mundur i buty dostanie na miejscu, w ośrodku szkoleniowym Blackwater, już w Iraku – wsiąść do pekaesu, który zawiezie go na lotnisko, ale przedtem pożegnać się z Lilianą.

– Odwieziesz mnie tylko na przystanek, dobrze? Nie chcę widzieć, jak płaczesz. Przez dwa miesiące będę miał przed oczami twoją uśmiechniętą buzię, żadnych łez. – Jego ton był proszący, łagodny, ale Liliana wiedziała, że wewnątrz Aleksiej zmaga się z rozpaczą. Tak samo nie chciał opuszczać Nadziei i ukochanej kobiety, jak ona nie chciała pozwolić mu odejść, nawet na dwa miesiące.

Mimo to teraz kiwnęła głową i powtórzyła:

– Żadnych łez.

Stali długie chwile objęci, aż czas zaczął naglić.

Musieli ruszać już teraz.

Terenówka, prowadzona tym razem przez Lilianę, pomknęła przez las, by zatrzymać się na przystanku. Autobus już czekał.

– Żadnych łez – szepnął Aleksiej, całując drżące usta kobiety.

– Wróć do mnie – poprosiła łamiącym się głosem.

– Przecież wiesz, że wrócę.

Pogładził ją jeszcze po policzku, zatrzasnął drzwi samochodu i... życie Liliany znów stało się puste. Aleks odjechał.

Chwilę patrzyła niewidzącym wzrokiem przed siebie, po czym zawróciła w miejscu i pojechała do domu.

Nie zdejmując kurtki ani butów – mniejsza o zabłoconą podłogę, potem sprzątnie – wpadła do pokoju, gdzie na biurku stał jej laptop, zalogowała się na tajne pocztowe konto i wstrzymała oddech, gdy strona ładowała się powoli. Wreszcie... jest! Jest odpowiedź! A w niej potwierdzenie: „Fundacja *Human for Human* oczekuje pani Liliany Łapskiej dnia 25 marca o godzinie 18 na lotnisku w Ankarze. Wszystkie uzgodnienia pozostają w mocy. Życzymy przyjemnej podróży i do zobaczenia już na miejscu. Dave Richardson, koordynator".

Liliana miała ochotę ucałować ekran laptopa.

Aż do tej chwili nie wierzyła, że tajny plan się powiedzie...

Za to, co wymyśliła i co wkrótce zacznie się realizować, Aleksiej chyba ją zabije, ale niech tam! Byle byliby razem!

W dniu, w którym powiedział jej o wyjeździe na kontrakt, Liliana przyrzekła sobie i jemu, choć Aleksowi w duchu, że nie pozwoli na rozłąkę. Znalazła w Internecie fundację organizującą pomoc humanitarną dla krajów ogarniętych wojną, także dla Iraku, i zaoferowała dwadzieścia tysięcy dolarów na leki, szczepionki i mleko dla irakijskich dzieci – pod warunkiem, że dowódcą eskorty będzie niejaki Aleksiej Dragonow z Blackwater.

Dave, który zarządzał misją fundacji w Bagdadzie, powitał Lilianę ciepło i serdecznie w imieniu swoim oraz swoich podopiecznych i przyrzekł, że uczyni wszystko, by życzeniu Liliany stało się zadość. *Human for Human* często korzystała z ochrony Blackwater, szczególnie w rejonach naprawdę niebezpiecznych, kontakt z firmą nie był więc problemem, a jeśli Aleksiej Dragonow ma kwalifikacje, by dowodzić konwojem, a ponadto będzie do dyspozycji fundacji...

Dziś otrzymała wiadomość, na którą czekała od kilku dni: wszystko gotowe, za dziesięć dni konwój rusza, a na Lilianę oczekują w Ankarze, miejscu zbiórki.

Pieniądze, które przekazała fundacji, pochodziły ze sprzedaży toyoty i z ogołoconego konta Karola. Wiedziała, że ten ma sporo gotówki zakamuflowanej w innych bankach, dlatego bez wyrzutów sumienia wzięła te pieniądze jako ekwiwalent lat poniżenia, siniaków i łez.

Miała je przeznaczyć na odbudowanie Nadziei, gdyby jej koszmar okazał się jawą.

Sen, który śniła przed ucieczką, był coraz bardziej realistyczny. Coraz silniej go przeżywała i budziła się coraz bardziej przerażona...

Kolejne dni upłynęły na gorączkowych przygotowaniach do wyjazdu. Od fundacji dostała szczegółowy wykaz tego, co musi ze sobą zabrać, co może, a czego nie wolno jej wwozić do kraju ogarniętego wojną. Może spodziewać się częstych kontroli, czasem bardzo obcesowych czy wręcz żenujących. Niejeden raz jej bagaż zostanie przewrócony do góry nogami, żołnierze, szczególnie ci wrogo nastawieni, z upodobaniem czy wręcz okrucieństwem rozedrą na strzępy nawet podpaskę w poszukiwaniu rzekomych narkotyków. Liliana musi być świadoma, że wszystko, co będzie chciała ukryć, zostanie znalezione, a ona może trafić do więzienia za coś tak niewinnego jak tabletki przeciw migrenie zawierające opioidy w dawce leczniczej...

Kompletując bagaż ściśle według listy, po raz pierwszy poczuła strach. Właśnie dotarło do niej, na co się waży. To nie będzie romantyczna wycieczka z Aleksiejem w roli rycerza na stalowym rumaku. To podróż przez tereny opanowane przez rebeliantów, uzbrojonych nie gorzej od eskorty, a na pewno bardziej zdecydowanych zabijać. Czy w razie ataku Aleks ją, Lilianę, obroni? Czy jej obecność nie wpłynie negatywnie na jego skuteczność?

– Rychło w czas naszły cię wątpliwości – prychnęła, zła na siebie.

Stanowczym ruchem zamknęła torbę i przeszła do kuchni, by zjeść skromną kolację. Wyjeżdżała z samego rana, chciała więc wcześnie położyć się spać, lecz gdy znalazła się w pustym łóżku, które jeszcze wczoraj dzieliła z Aleksiejem... Łzy napłynęły Lilianie do oczu, wątpliwości zniknęły, a zostało tylko pragnienie, by jak najszybciej dołączyć do ukochanego mężczyzny.

Sięgnęła po tabletkę nasenną, wiedząc, że nie zaśnie i pół godziny później zapadła się w czarną otchłań snu.

Śniła...

Leży na wznak, patrząc w intensywny błękit nieba nad głową. Jest cicho, tak się przynajmniej wydaje zszokowanemu umysłowi. Jeszcze przed chwilą słychać było natarczywe „tatatata" karabinu, ale teraz terkot dobiega jak zza gęstej mgły.

Słońce wypełza zza skał i praży bezwładne, zdane na jego łaskę i niełaskę ciało. Ból szarpie piersią z każdym oddechem, każdym coraz płytszym, coraz trudniejszym oddechem. Krztusi się raz po raz krwią płynącą z ust. Umiera. Umiera w samotności.

Nagle ktoś staje tuż obok. Ciemna sylwetka na tle słońca jest groźna, śmiertelnie groźna. Unosi lufę karabinu, mierzy niespiesznie między oczy ofiary. Kładzie palec na spuście i...

Krzyk:

– Nie!!!

A po nim strzał.

Liliana podrywa się zlana zimnym potem. Maca dookoła rozdygotanymi rękami. Czując miękką i chłodną pościel, z płaczem opada na poduszkę. Szlocha z ulgi i rozpaczy, jeszcze bardziej przerażona czekającym ją zadaniem, ale też i zdeterminowana, by je wypełnić. Nawet za cenę życia.

Podróż minęła bez większych przygód. Z Warszawy do Ankary leciała w towarzystwie rozentuzjazmowanych turystów niemogących się doczekać wczasów w Turcji. Tu w Polsce była wiosna, tam lato.

Dopiero na lotnisku w Ankarze, gdzie poznała Dave'a, który zaprowadził ją do wojskowego samolotu w barwach ochronnych, poczuła, że przygoda – a nie będą to dwumiesięczne wczasy w turystycznym kurorcie – rzeczywiście się zaczyna.

Dave, młody człowiek, już na pierwszy rzut oka bardzo zaangażowany w swoją misję, przedstawił Lilianie zespół wolontariuszy lecący wraz z nimi, a gdy klapa potężnego transportowca zamknęła się i zarówno oni, jak i żołnierze *U.S. Army*, również przerzucani do Iraku, zapięli pasy, gotowi do startu, Dave odezwał się do Liliany, która dołączyła najpóźniej:

– Jak widzisz, lecimy samolotem wojskowym, przygotuj się więc na bardzo gwałtowne i twarde lądowanie. Prawdę mówiąc, poczujesz się, jakbyśmy zostali zestrzeleni, bez uprzedzenia – tu nie ma stewardes – maszyna zacznie pikować i pieprznie o ziemię, aż głowy nam odskoczą. Tak to wygląda. Nie odpinaj pasów pod żadnym pozorem i staraj się nie krzyczeć. Chłopcy na kobiety patrzą nieco z góry i taka panika to dla nich woda na młyn, rozumiesz, prawda?

Liliana kiwnęła głową. Nie zamierzała krzyczeć ani podczas lądowania, ani w ogóle.

– Na lotnisku, jeśli wszystko pójdzie gładko, będzie nas oczekiwał dowódca eskorty, czyli twój – tu Dave puścił oczko – Aleks Dragonow. Jedna prośba, Lilian, czy raczej przypomnienie: to że się znacie – nie mnie wnikać, jak bardzo – nie znaczy, że jesteś na specjalnych prawach. On będzie twoim dowódcą przez cały czas trwania misji i m u s i s z słuchać jego rozkazów. Jeśli zobaczę, że tego nie robisz albo on traktuje cię z pobłażaniem, poproszę o zmianę dowódcy, bo narazicie swoim postępowaniem nasze życie. A wbrew pozorom nie jesteśmy samobójcami i każdy z nas chce wrócić do domu w jednym kawałku. Rozumiesz to, prawda?

Znów przytaknęła.

Samolot wzbił się w tym momencie w górę tak gwałtownie, że żołądek stoczył się Lilianie do pięt. Przełknęła głośno ślinę, z trudem opanowując przerażenie. Ukradkiem rozejrzała się po współtowarzyszach lotu. Mieli miny zupełnie obojętne, wręcz nienaturalnie obojętne i Liliana odgadła, że boją się tak samo jak ona. Jedynie żołnierze rzeczywiście wyglądali na znudzonych.

Dave odczekał, aż przeciążone silniki zaczną pracować równo, gdy maszyna osiągnie pożądany pułap i mówił dalej. O niebezpieczeństwach, jakie mogą ich czekać, o wrogich mieszkańcach, którzy bynajmniej nie będą wdzięczni za pomoc, o watażkach, którzy mogą odebrać fundacji cały transport, a przynajmniej mogą próbować, bo przecież ludzie z Blackwater są po to, by do tego nie dopuścić, i tak dalej, i tak dalej... Jego słowa przerażały coraz bardziej, ale gdy Liliana już zaczynała żałować, że się na to porwała, zaczął mówić o odwadze i poświęceniu wolontariuszy, o wadze tej pomocy, o lekach, które uratują niejedno życie w szpitalu gdzieś, gdzie pomoc nigdy nie dotarła, o szczepionkach, dzięki którym nie zachoruje żadne dziecko i o mleku, które niejedno uchroni od głodowej śmierci.

To Lilianę przekonało, że uczyniła dobrze z dwóch powodów, a może nawet trzech: po pierwsze, zrobi przed śmiercią dobry uczynek, pomagając nieszczęsnym cywilom, dla których ta wojna była jedynie cierpieniem. Po drugie, dołączy do Aleksieja i nie stracą ani jednego dnia, który jeszcze jej pozostał, a po trzecie...

Samolot, który jeszcze niedawno (Czy tak niedawno? Czas zaczął mknąć do przodu jak szalony) wzbijał się w górę, teraz nagle runął w dół. Dokładnie tak, jak dwie godziny wcześniej uprzedził Dave.

Liliana poleciała do przodu, a pasy szarpnęły ją w tył tak silnie, że zabrakło jej oddechu i tylko dzięki temu nawet nie pisnęła. Zielona na twarzy, co na szczęście skrywał mrok, modliła się o szybką śmierć, bo gwałtowne lądowanie gwałtownym lądowaniem, ale samolot spadał, tego była pewna.

Tuż nad pasem wyrównał i uderzył kołami o beton, aż pasażerom wydarł się z piersi mimowolny jęk. Niejeden przyciął sobie język, niejednemu ząb chrupnął o ząb.

Liliana tkwiła bez ruchu, nie wydawszy żadnego dźwięku dotąd, aż samolot zatrzymał się, klapa opadła, a Dave, blady w świetle reflektorów oświetlających stanowisko klepnął ją z uznaniem w ramię.

– Rzeczywiście jesteś dzielną kobietą. Chodźmy.

Ruszyli za grupą żołnierzy, których na płycie lotniska przejęła jakaś szarża.

Na nich czekali umundurowani na czarno ludzie z eskorty.

Stojący na przedzie obrzucał wychodzących z samolotu wolontariuszy uważnym spojrzeniem i podając każdemu dłoń, mówił krótko, bez cienia uśmiechu:

– Jestem Aleks, dowódca konwoju, witamy w Iraku.

Liliana, słysząc jego głos, przyspieszyła i wreszcie...

Oto był! Miała go przed sobą! Mogła go dotknąć, objąć, przytulić! Czyżby...?

Aleksiej patrzył na Lilianę z mieszaniną szoku i wściekłości w szarych oczach, przy czym szok ustępował miejsca tej drugiej. Nie było mowy o czułym powitaniu, o silnych ramionach, obejmujących ukochaną kobietę, o słowach szczerej radości z jej przybycia.

Musiało Lilianie wystarczyć wycedzone przez zęby:

– Jednak dopięłaś swego.

A po chwili:

– Dołącz do grupy.

I głośniejsze:

– Zapraszam do samochodów! Mój zastępca wskaże każdemu jego miejsce.

Wolontariusze zostali sprawnie rozlokowani w czterech opancerzonych hummerach, przy czym Liliana znalazła się w samochodzie z Andrzejem Karskim, jak wyjaśnił po drodze, przyjacielem Aleksieja od ładnych paru lat. Był bardziej skłonny do rozmów niż ten ostatni, chętnie odpowiadał na pytania Liliany o warunki panujące w Iraku, ale o niebezpieczeństwach, jakie mogły im zagrażać, nie chciał mówić. Żeby nie wywoływać wilka z lasu – jak wyjaśnił.

– Na pewno będzie pani dobrze chroniona. Jak najlepiej. – Uspokoił Lilianę, ale ona nie bała się o siebie...

Dotarli na kwatery jeszcze przed świtem. Mieli dwie godziny na odpoczynek, potem cztery na załadunek skrzyń z lekami, na koniec szybki *lunch* i wreszcie wyjazd z bazy wojskowej w długą drogę do punktu przeznaczenia.

Andrzej skinął na swoich podopiecznych, a wolontariusze, posłuszni jak stadko kurcząt, ruszyli za nim w kierunku zabudowań. Liliana również zrobiła dwa kroki, gdy zatrzymała ją ciężka dłoń Aleksieja na ramieniu i ostre słowa:

– Ty pójdziesz ze mną.

Delikatnie popchnął kobietę ku niedużemu budynkowi stojącemu nieco na uboczu, do schodów prowadzących na piętro, w korytarz, od którego odchodziły dwie pary drzwi i wreszcie przez pierwsze na prawo do pokoju, który mu przydzielono.

Zamknął za sobą drzwi na klucz, stojąc przez chwilę nieruchomo, zwrócony plecami do Liliany, a gdy już miała zawładnąć nią rozpacz, obrócił się na pięcie, chwycił ją za ramiona i przygarnął do siebie tak gwałtownie i tak mocno, że nie miała już wątpliwości, że tu, przy nim jest jej miejsce.

– Przepraszam, Aluś – wyszeptała, czując wszechogarniającą ulgę. – Po prostu nie mogę bez ciebie żyć.

Pokręcił głową.

– I co ja mam zrobić? Powinienem zdać dowództwo i...

– Może lepiej powiedz wszystkim, że przyleciała z dalekiej Polski twoja żona i wyrusza z tobą? Tak po prostu? – Uśmiechnęła się nieśmiało.

– A zgodzisz się zostać moją żoną? – zapytał poważnie.

– Gdy tylko dostanę rozwód.

– Nie musisz czekać na rozwód. Karol nie żyje.

Uniosła tylko brwi, spodziewając się takiej wiadomości od tamtej nocy, gdy jej małżonek chciał uciekać za granicę. Igrał z ogniem, zadając się z mafią, był jednak dorosły. Wiedział co robi.

– Dopadli go?

Aleksiej skinął głową. O szczegóły Liliana nie chciała pytać. Mimo całego zła, jakie doświadczyła od męża, mimo lat poniżeń, łez, bólu i strachu, poczuła żal, bo przecież były i dobre dni...

– Możemy wziąć ślub nawet dziś, stanę na głowie, załatwię jakiegoś księdza, ale widzę po twojej minie, że będziesz chciała trochę poczekać.

Liliana przytaknęła.

Nie mogła tak zaraz, słysząc o śmierci Karola, wyjść za mąż za innego. Nawet jeśli miałby to być Aleksiej. Po prostu nie mogła.

– Połóż się i spróbuj zdrzemnąć – powiedział chwilę później. – Przed nami ciężki dzień. I to niejeden. Ja muszę pogadać ze swoimi ludźmi. Zaczniemy załadunek szybciej, to szybciej ruszymy.

Pocałował ją raz jeszcze i wyszedł.

Liliana wzięła prysznic i ledwie przyłożyła głowę do poduszki, już spała, znów spokojna i bezpieczna, bo on, Aleks, był blisko.

Kilka godzin później konwój ruszył w sześciodniową podróż.

Przodem jechały dwa czarne fordy – opancerzone terenówki z kierowcą i czterema ludźmi z ochrony. Za fordami zajęły miejsce trzy ciężarówki, w których jechało dwóch wolontariuszy. Konwój zamykały dwa fordy. Siedem samochodów, siedmiu kierowców, dwudziestu czterech uzbrojonych po zęby eskortantów. I Liliana, przydzielona do towarzystwa Andrzejowi Karskiemu, który prowadził drugą w kolejności terenówkę. Aleksiej jechał w przedostatniej.

Już po pierwszych godzinach podróży nieznośny upał, mimo chodzącej pełną parą klimatyzacji, i drobny, niewidoczny gołym okiem pył, zaczęły się dawać cywilom we znaki.

Z nieba lał się żar, temperatura na zewnątrz dochodziła do czterdziestu dwóch stopni, i każdy postój – a zatrzymywano ich do kontroli parokrotnie – stał się mordęgą.

Patrzyli, stojąc pod gołym niebem, jak żołnierze przetrząsają samochody, bagaże, ładunek i, nie mogąc zrobić nic więcej, modlili się o odrobinę cienia, wieczór, szybkie zakończenie kontroli czy wreszcie klęli pod nosem „Niech ich szlag!". Czasem mijało kilka kwadransów, nim dowódca patrolu albo posterunku zezwalał na dalszą podróż.

Eskortanci znosili to ze stoickim spokojem. Zdążyli już przywyknąć do miejscowych warunków i obyczajów. Rozsiadali się w wąskim pasku cienia rzucanym przez wozy, naciągali hełmy na oczy i zapadali w drzemkę. Na magiczne słowa: „*Clear, go!*" podrywali się na równe nogi, całkowicie przytomni i gotowi do dalszej podróży.

Pod wieczór, gdy dojechali do bazy wojskowej niczym nieróżniącej się od tej, z której wyruszyli, Aleksiej pocieszył umęczonych wolontariuszy, że jutro wjeżdżają na ziemię niczyją i kontrole się skończą. Nakazał wyspać się porządnie – choć tego nie musiał nikomu mówić – a nad ranem ciepło się ubrać, bo temperatura w nocy spadnie do kilku stopni. Rozeszli się, sarkając pod nosem, na kwatery prowadzeni przez wszystkowiedzącego zastępcę dowódcy, Aleksiej zaś zagarnął ramieniem Lilianę i szepnąwszy jej do ucha: „Chodź, coś ci pokażę", ruszył w odwrotnym niż reszta kierunku.

Minęli labirynt zasieków i bramek wzmocnionych betonowymi klocami, doszli do wyjścia z bazy, Aleksiej zamienił parę słów z wartownikiem, po czym wyszli na zewnątrz.

– Tu jest bezpiecznie? – zapytała Liliana, rozglądając się niepewnie dookoła.

Baza położona była z dala od miasta, na równinie, którą daleko na horyzoncie okalały pasma gór. Teraz ciemnofioletowych w ostatnich promieniach słońca.

– Jankesi trzymają pod butem tę prowincję i jeszcze parę dookoła, można więc powiedzieć, że jest bezpiecznie, ale parę razy i tutaj mieli gorąco.

„Gorąco" kojarzyło się kobiecie ze wściekłym upałem za dnia, a Aleks wolał nie wyjaśniać, że całkiem niedawno bazę ostrzelano z moździerza. Pięć pocisków zabiło troje ludzi, kilkunastu było rannych. Jak to na wojnie...

– Usiądź tutaj. – Rozłożył na ziemi kurtkę.

Po chwili siedzieli zapatrzeni w znikającą za górami czerwoną kulę słońca. Zaraz potem, dosłownie kilka minut po zachodzie, dzień zmienił się w noc, a niebo rozbłysło miliardem gwiazd. Tak niesamowicie jasnych i bliskich, jakich Liliana nie widziała w całym swoim życiu. Aż ze zdumienia i zachwytu otworzyła usta, których Aleksiej nie omieszkał pocałować.

– Niesamowite – wyszeptała. – Choćby dla tego widoku warto było tu przyjechać...

– Prawda? Mnie też on zachwyca za każdym razem, gdy mam siłę go podziwiać.

Położyli się ramię w ramię, mając gwiazdy tuż nad głową. Niebo przeciął jasny łuk meteoru. Oboje pomyśleli życzenie. Oboje to samo.

– Jutro będzie ciężki dzień, Lilou – odezwał się cicho Aleks. – Mamy do pokonania niebezpieczny odcinek. – Wolał nie dodawać, że nazywają go „drogą śmierci". – Chcę żebyś wiedziała... – urwał. – Cieszę się, że jesteś tu ze mną – rzekł po chwili. – I kocham cię bardziej, niż kiedykolwiek. Pamiętaj o tym, Lilou.

– Ja też cię kocham – szepnęła i wtuliła się w niego. Jasne gwiazdy przestały cieszyć. Słowa Aleksa zabrzmiały jak pożegnanie.

Poderwał swoich podkomendnych o świcie.

Wolontariusze, którzy nie dalej niż dwanaście godzin wcześniej narzekali na upał, teraz trzęśli się z zimna, rozcierając zgrabiałe dłonie. Ciepła kurtka z kapturem – jedna z pozycji na liście, która nawet tam, w Polsce, wydawała się absurdem, a tutaj, gdy po wylądowaniu trafili do piekła, była tematem żartów – okazała się teraz darem niebios, by już dwie godziny później powędrować na samo dno bagaży. Z nieba znów lał się ukrop.

– Jak oni tu żyją – dziwiła się Liliana, patrząc na mijane po drodze lepianki. – W nocy mróz, za dnia upał. Kto to wytrzymuje?

– „Do wszystkiego można się przyzwyczaić", powiedział skazaniec, idąc na stryczek – odrzekł z charakterystycznym dla siebie poczuciem humoru Andrzej Karski prowadzący forda. – Przed nami ostatni posterunek, a potem... wolna amerykanka. Aleks nas pewnie przetasuje. Będziesz za mną tęskniła? – Uśmiechnął się do Liliany szelmowsko.

– Za tobą zawsze. Tylko nie mów tego Aleksiejowi.

Tak sobie pogadując, zbliżali się do największego – w porównaniu z tymi, w których nocowali – obozu.

Jak zwykle wjechali przez ufortyfikowaną bramę, Aleksiej okazał dokumenty konwoju, wartownicy bez przekonania zaczęli kontrolę ładunku, zaś wolontariusze chcieli się rozejść po obozie, by jeszcze przez chwilę pobyć wśród cywilizacji – a był tu nawet miniaturowy dom towarowy oraz kino. Dowódca nie pozwolił na to, zapędzając wszystkich do stołówki.

Tam zestawili kilka stolików, zamówili colę z lodem i szybki *lunch*, po czym Aleksiej zaczął odprawę przed dalszą drogą:

– Wjeżdżamy na teren kontrolowany przez wroga. – Te słowa, obliczone na przykucie uwagi cywilów, nie zrobiły na nich specjalnego wrażenia. Dla trzech Anglików, jednego Holendra, Czecha i Szweda – taki oto międzynarodowy skład miała ekipa fundacji – cały czas znajdowali się na terytorium dzikich Irakijczyków. A że mniej, czy bardziej... – Od tej pory ciężarówkami kierować będą moi ludzie.

– Są lepsi czy co? – burknął Szwed, któremu upał dawał się najbardziej we znaki.

– Po pierwsze, owszem, są lepsi, po drugie, przejadą po tobie, gdy będzie trzeba – zgasił go Aleks brutalnie. – To podstawowa zasada w przypadku zasadzki: nie wolno się zatrzymać. Jeśli konwój stanie, wystrzelają nas jak kaczki. Musicie jechać dalej. Więcej: macie dodać gazu – teraz nie patrzył na wolontariuszy, którzy z rosnącym niepokojem słuchali jego słów, ale na ludzi z Blackwater, dla których nie była to pierwszyzna. Każdy z nich służył w jednostkach zmilitaryzowanych, każdy przeszedł szkolenie tutaj na miejscu, w Iraku, i zasadę: „Uciekaj albo giń" znali na pamięć. Niektórzy nawet z autopsji. – Jeżeli będzie trzeba, taranujcie samochód przed wami, jeżeli trzeba się będzie cofać, zróbcie to bez namysłu. Zrozumiano?

–Tak jest – mruknęli ludzie z eskorty.

– To znaczy, że nas zostawisz? W tej pułapce? – Chciał wiedzieć Szwed.

– Nikogo nie zostawimy – wycedził Aleks. – Kto chce, może zrezygnować z dalszej drogi. Jesteście tu dobrowolnie, nie, nie mówię o was – dodał, widząc pełne nadziei uśmiechy swoich podwładnych. Odpowiedział mu wybuch śmiechu, ale zaraz spoważnieli. – Wolontariusze mogą się wycofać i poczekać tu na nas. W bazie jest kino, basen, a nawet agencja towarzyska, choć to niepotwierdzona informacja. – Znów śmiech. – Zabierzemy was w powrotnej drodze – dokończył.

Nikt się nie wycofał. Nawet marudny Szwed.

Popijali w milczeniu colę, unikając wzroku współtowarzyszy.

Liliana nawet przez sekundę nie myślała o pozostaniu w bazie.

Ciężką ciszę przerwało pojawienie się podoficera z biało-czerwoną naszywką na rękawie. Uścisnęli sobie z Aleksem i Andrzejem dłonie.

– No, co tam na froncie? – zagadał po polsku Aleksiej.

– Spokój, cisza, nic się nie dzieje, nudy, proszę ja ciebie, nudy normalnie – odrzekł, przeciągając komicznie sylaby, młody sierżant Radek Kowal ze stacjonującej tutaj jednostki Gromu.

– Nudy, powiadasz? – Uśmiechnął się Aleks. – A to nie wam nie dalej jak wczoraj szuszwole wjechali niemal na plac apelowy ciężarówką wypełnioną po brzegi trotylem?

– Nam jak nam, *Jankee* obstawiali wtedy bramkę. – Zaśmiał się tamten. – Pełne gacie do dzisiaj mają, tak szybko was więc nie puszczą. Swoją drogą niezły wywiad macie w tym Blackwater.

– Nie tyle niezły, co najlepszy. Słyszałem, że *partizany* stali się dokuczliwi, szczególnie na południe od was.

– „Dokuczliwi"? Tak, można tak powiedzieć. – W głosie żołnierza rozbawienie walczyło z powagą, a wolontariusze przysłuchujący się tej rozmowie, prowadzonej teraz po angielsku, uznawszy, że to rozmowa towarzyska, stracili nią zainteresowanie. Eskorta wprost przeciwnie.

– Naszą ulubioną trasę patrolujemy co drugi dzień – ciągnął podoficer – ale wiesz, jacy są szuszwole (tak określano, niezbyt sympatycznie, irakijskich rebeliantów): szybcy i zawzięci. Puść przodem saperów, twoi szefowie dogadają się z komendantem, to przynajmniej na niespodziankę od podeszew się nie załapiesz.

„Niespodzianką od podeszew" nazywał sierżant Kowal minę czy inny ładunek wybuchowy podkładany przez nieprzyjaciela na drodze przejazdu.

Aleksiej kiwnął głową. I tak miał prosić o wsparcie. Wąwóz, który musieli minąć, był wymarzonym miejscem na zasadzkę i jeśli Irakijczycy szybko się zorientują, że w trasę wyruszył konwój z pomocą humanitarną...

– Nie ma czasu na pogaduchy. – Wstał i wraz z Kowalem udał się do komendanta.

Ruszyli kwadrans później.

Kolumnę wozów otwierał MRAP – ciężki pancerny samochód saperów, potem jechały dwa fordy ochrony, trzy ciężarówki fundacji i na końcu kolejne dwa fordy Blackwater. Wszyscy, od wolontariuszy po eskortantów, czuli wagę sytuacji, czyli zwykły ludzki strach. Liliana jechała w szoferce pierwszej ciężarówki, którą prowadził Andrzej. Między nimi siedział napięty jak postronek Dave. On raz zaliczył „drogę śmierci" i wiedział, co ich może czekać.

– W razie czego jedź, Andrew – mruczał co jakiś czas, bardziej do siebie niż do kierowcy. – Nie zatrzymuj się.

– Spokojna głowa – odpowiadał tamten. – Nic się nie wydarzy. A jeśli, to nie zdejmę nogi z gazu stąd aż do bazy naszych sojuszników.

Ciężarówką rzucało na wertepach.

Jechali przez biedne wsie, chociaż słowo „wieś" na określenie tych kilku lepianek było doprawdy nobilitacją. Gnały za nimi z krzykiem brudne, chude dzieciaki i jeszcze chudsze psy. Kobiety Liliana nie widziała ani jednej. Zapewne mieszkały tutaj i one, ale przed przejazdem konwoju pewnie się chowały. Irakijscy mężczyźni odprowadzali kolumnę wozów ponurym albo obojętnym spojrzeniem

Chciało się krzyczeć: „To dla was wieziemy pomoc! To dla was narażamy własne życie!", ale wyglądało na to, że mieszkańcy tego kraju mają to gdzieś.

Słońce stało w zenicie, mijała czwarta godzina jazdy, upał był nie do zniesienia, nawet wewnątrz klimatyzowanych kabin, a zarówno eskorta, jak i wolontariusze nie pozwalali sobie na chwilę nieuwagi.

Góry, dotąd majaczące na horyzoncie, zbliżały się z każdym kilometrem, by wreszcie wznieść się tuż przed nimi.

Milcząca dotąd krótkofalówka zatrzeszczała i Liliana usłyszała napięty głos Aleksa:

– Tu dowódca. Zgłaszać się.

Po kolei zaczęły odpowiadać wozy ochrony, potem kierowcy ciężarówek.

Skały przed nimi rozstąpiły się i ukazała się paszcza wąwozu o ścianach niemal pionowych, wznoszących się na ładnych parę pięter.

– Przyspieszamy, panowie i panie. Cała naprzód!

MRAP dodał gazu. Za nim ruszyły z rykiem silników pozostałe samochody.

Liliana chwyciła się rączki, bo naprawdę zaczęło rzucać nimi po kabinie jak karaluchami w pudełku.

Przez długie chwile nie działo się nic, gdy nagle...

Ogłuszający huk wstrząsnął ścianami wąwozu i powrócił z echem. Pierwszy pojazd uniósł się w górę i runął na bok. Jednocześnie z góry sypnął się na konwój deszcz pocisków karabinowych. Rozkrzyczało się radio.

– Jedź, jedź!

– Mamy rannych!

– Co robić, do kurwy nędzy?!

– Jedź, kurwa!

– MRAP tarasuje drogę, musimy go ściągnąć!

I nagle umilkło.

Usłyszeli głos dowódcy:

– Dwójka, trójka na zewnątrz, osłaniać nas. Czwórka, ściągnąć jedynkę z drogi. Siedem, osiem, czekać w pogotowiu.

Z pierwszych samochodów wysypali się mężczyźni w czarnych mundurach. Kryjąc się za samochodami odpowiedzieli ogniem z całej broni, jaką mieli w rękach.

Ciężarówka Andrzeja minęła dwa fordy ochrony, ustawiając się za przewróconym na bok MRAP-em.

– Najpierw bierz rannych! – krzyknął któryś.

Andrzej kiwnął głową, ale nie wysiadł, nie wyłączył silnika. Kuląc się pod gradem pocisków, dwóch saperów zaczęło przenosić na pakę rannych kolegów.

Nagle nad ich głowami świsnął pocisk. Huk rzucił nimi o ziemię.

– RPG! Mają RPG! Rusz dupę z tym MRAP-em!

RPG, wyrzutnia granatów przeciwpancernych, była postrachem wszystkich konwojów. Pocisk był w stanie zniszczyć mniejszy wóz i uszkodzić opancerzoną ciężarówkę. Nadzieja w tym, że rebelianci nie grzeszyli celnością... Jeden z nich uniósł się, wycelował i...

– Zdejmij tego z RPG! Zdejmij go!!!

Kolejny świst i następny huk zagłuszyły nawet ryk silników, chodzących na najwyższych obrotach.

– Dostał! Ford dostał! Pali się!

– Ci z fundacji spieprzają! Aleks, zatrzymaj cywilów!

– Bierzcie forda na hol! Kurwa, co z tym MRAP-em?! Ruszymy wreszcie?!

Zapanował kompletny chaos.

Komendy przeplatały się z przekleństwami, szczekotem karabinów i wyciem silników. Wszystkie samochody gotowe były wyrwać do przodu, gdy tylko droga będzie wolna.

Andrzej puścił sprzęgło w momencie, gdy ostatni ranny został ciśnięty na tył ciężarówki. Nie poczekał nawet, aż podniosą klapę. Wóz skoczył do przodu, wbijając się w tył wraku. Zepchnął go na bok i wreszcie mogli wyprowadzić konwój z zasadzki.

Nagle do drzwi od strony pasażera podbiegł Aleks.

– Andrzej, wyprowadź ich! Ja mam rannych! Wyprowadź konwój! Jedź!

Klepnął ponaglająco w rozgrzaną blachę.

Zastępcy nie trzeba było powtarzać rozkazu. Nacisnął gaz do oporu.

Liliana patrzyła na oddalającą się sylwetkę Aleksieja i... to był odruch.

„Nie zostawię cię!" – przemknęło jej przez myśl, gdy naciskała klamkę drzwi i na łeb, na szyję wyskakiwała z ciężarówki.

Upadła. Podniosła się. Kuląc ramiona, zaczęła biec z powrotem.

Samochody mijały ją we wściekłym pędzie, w tumanach kurzu i dymu, nie widząc pewnie biegnącej kobiety. Ona nie próbowała ich zatrzymać.

Zdyszana dopadła ostatnich wozów. Jeden się dopalał, drugi czekał, by go ominąć. Aleks z dwoma ludźmi przenosił do forda rannych.

– Co ty tu robisz?! – wrzasnął wściekle na widok kobiety. – Nie zabierzemy cię! Nie ma miejsca! Wracaj! Noż kurwa... – Chwycił za krótkofalówkę i zakrzyczał:

– Szóstka, cofaj! Wróć po nas!

Radio zachłysnęło się potokiem krzyków i przekleństw, by odpowiedzieć:

– Tu szóstka, cofam.

Liliana bez słowa chwyciła za nogi nieprzytomnego człowieka. Poznała jednego z wolontariuszy, Czecha. Aleks wziął go pod pachy i ponieśli ciężar do ostatniego forda.

– Ruszaj!

Kierowca, oglądając się na dowódcę, który został na zewnątrz, posłusznie nacisnął na gaz.

– A ty za mną! – Aleks chwycił kobietę i pchnął przed sobą.

Pobiegli w stronę przewróconego MRAP-a. Cisnął nią we wnękę między wrakiem a skałą, sam podniósł karabin któregoś z rannych i nacisnął spust, strzelając raz po raz.

Liliana wstrzymała oddech. Cofający się ford był tuż, tuż.

Nagle Aleks krzyknął i upuścił karabin. Padł na kolana. Sekundę czy dwie tkwił nieruchomo, po czym sięgnął po broń i uniósł ją do strzału. Po szyi zaczęła spływać mu struga krwi.

– Aleksiej – wyszeptała Liliana, podnosząc się na miękkich nogach.

Zachwiał się. Próbował sięgnąć do rany. Gdy osuwał się na kolana, pochwyciła go wpół.

Ford stanął tuż przy nich. Ktoś szarpnął kobietę na tył furgonetki. Dwóch innych złożyło na podłodze wykrwawiającego się dowódcę.

– Wszyscy są? – rzucił kierowca, mając wzrok utkwiony w drodze przed nimi. Gdy usłyszał „wszyscy", warknął: – Spierdalamy stąd! – I ruszył z pełną mocą.

Odgłosy strzelaniny cichły.

Samochód gnał wyboistą drogą, goniąc konwój.

Gdzieś w górze rozległ się warkot śmigłowców – to Amerykanie przysłali wsparcie, ale nie to było teraz potrzebne skrwawionym ludziom tutaj, na dole.

– Mamy rannych. Przyślijcie medevaca! – To krzyczał Andrzej, który przejął dowodzenie. – Łączyć w kolumnę! Wyjeżdżamy z wąwozu! – To było do pozostałych ciężarówek i fordów.

Wreszcie wypadli na otwartą przestrzeń.

Samochody gnały jeszcze parę chwil wyboistą drogą, po czym stanęły.

Eskorta wysypała się na zewnątrz z bronią gotową roznieść każdego, kto nie nosi munduru Blackwater albo *U.S. Army*.

Liliana nie ruszyła się z miejsca. Trzymała głowę Aleksieja na kolanach, jedną ręką zaciskając opatrunek na rozerwanej tętnicy, drugą gładząc go po włosach.

– Nie umieraj, Aluś, nie umieraj – prosiła go cicho.

Uniósł rękę. Przytrzymał ją za nadgarstek.

– List – wyszeptał. – W kieszeni mam list. Do ciebie.

Kiwnęła głową, nie mogąc wykrztusić nic więcej. Łzy spływały jej po policzkach, kapiąc na włosy mężczyzny.

– Dobrze jest być z tobą... – Jego głos rwał się, zamierał. – Kocham cię, Lilou...

– Ciii, Aluś, nic nie mów. Już jest pomoc. Już...

Gdzieś obok wylądował helikopter. Drzwi forda otworzyły się gwałtownie.

Po Aleksieja sięgnęli sanitariusze. Liliana w pierwszej chwili nie chciała wypuścić go z objęć, dopiero cichy głos jednego z nich:

– Proszę nam go oddać, zajmiemy się...

Urwał w pół słowa.

Głowa rannego opadła bezwładnie.

Sanitariusz na widok kałuży krwi przytknął palce do tętnicy z drugiej strony szyi, szukając pulsu, po czym pokręcił głową. Liliana, nie puszczając Aleksieja, rzuciła się w przód.

– Weźcie go! – krzyknęła. – Ratujcie! On się wykrwawia!

Sanitariusz spojrzał na nią ze współczuciem i odrzekł cicho:

– On nie żyje, proszę pani.

„Najdroższa Moja i Ukochana! Ten list jest pożegnaniem. Skoro go czytasz, znaczy, że zostałaś sama, a ja nie dotrzymałem słowa".

Liliana wypuściła kartkę gęsto zapisanego papieru z drżącej dłoni. I tak nie mogła czytać dalej. Przez łzy nie widziała ostatnich słów Aleksieja.

Czekała wraz z Andrzejem, aż wydadzą jej ciało Aleksieja, żeby mogła zabrać je do domu.

Do rozpaczy po jego stracie dołączyło gryzące poczucie winy za tę śmierć. Raz po raz wracały pytania: Dlaczego to nie ja? Dlaczego żyję, podczas gdy ty odszedłeś? Dlaczego tu przyjechałam? Dlaczego wyskoczyłam z tej ciężarówki? Gdyby nie moja głupota... gdyby nie to... żyłbyś, Aluś, wróciłbyś do mnie, do Nadziei...

Ramiona zaczynały drżeć, po chwili trzęsło się całe ciało.

Andrzej obejmował ją wtedy i przytulał bez słów. On sam ledwo panował nad rozpaczą. Jemu Aleksiej Dragonow też był bliski.

Liliana schyliła się po kartkę.

„Najdroższa Moja i Ukochana"...

Zgięła się wpół i wybuchnęła bezgłośnym szlochem.

Aleksiej Dragonow został pochowany obok swoich rodziców, na Ukrainie. Taka była jego ostatnia wola, jaką wyraził w testamencie tuż przed wyjazdem do Iraku. W tym samym dokumencie oddawał Lilianie dom w Nadziei, a także wszystko co miał – zupełnie jakby pełne konto w banku mogło wynagrodzić jego stratę.

Na pogrzeb stawili się przyjaciele z Blackwater, podobnie jak z dawnej „firmy". Lilianę traktowano z wszelkimi honorami jako wdowę po poległym.

Przyjmowała wyrazy współczucia płynące z serca, myśląc cały czas o jednym: jak będę bez ciebie żyć, Aluś? Czy zapełnię pustkę po tobie przez te parę miesięcy, które mi pozostały?

Łzy znów zaczynały płynąć. Tak bardzo za nim tęskniła już teraz...

Do domu, do Nadziei, odwiózł ją Andrzej Karski. Próby protestu, argumenty, że chce być teraz sama, przerwał stanowczym:

– Aleksiej odebrał ode mnie przyrzeczenie, że się tobą zaopiekuję w razie, gdyby... Chcę wiedzieć, że jesteś bezpieczna i niczego ci nie potrzeba, dopiero wtedy wyjadę.

„Jego mi potrzeba! Przy nim byłam bezpieczna!" – chciała krzyczeć, chciała wyć!, ale w milczeniu pozwoliła się zawieźć pod dom, wpuściła przyjaciela do środka, patrzyła, jak krząta się w kuchni, rozpakowując zakupy, jak gotuje obiad, potem nakrywa do stołu.

– Jedz – powiedział szorstko, stawiając przed nią talerz gorącej zupy, chociaż Liliana nie mogła przełknąć ani jednej łyżki. – Aleksiej chciałby, żebyś jadła, żebyś żyła – powiedział łagodnie.

To jedynie wywołało nowe łzy.

Liliana nie chciała żyć. Aż do dnia, w którym wszystko się zmieniło.

Śniła...

I tym razem dom był w gruzach. Stała przed nim, czując, jak serce pęka z żalu, bo wiedziała już, co oznacza ten sen: odejście Aleksieja, jego śmierć. Symbolizował życie Liliany, jej marzenia o domu i rodzinie, które rozsypały się, jak domek z kart.

Przez długie chwile – jak długie, nie wiedziała, bo we śnie czas płynie inaczej – poddawała się rozpaczy, ale nagle szarpnął całym jej jestestwem bunt. Nie pozwoli, by Nadzieja, ukochane miejsce Aleksieja, odeszło w niepamięć! Nie pozwoli na to, by niszczało pod szarym deszczowym niebem.

Chwyciła pierwszą belkę, odciągnęła na bok. Potem drugą ułożyła równo obok pierwszej. Siłowała się z trzecią, gdy ktoś uniósł ją z drugiego końca. To Andrzej. Podziękowała mu spojrzeniem.

Pracowali w milczeniu, ramię w ramię.

Sterta belek rosła, gruzowisko malało. Zmęczenie wzięło nad nimi górę. Ale Liliana wiedziała, że w następnym śnie będą pracować dalej. Może już jutro, może pojutrze zaczną wznosić nowe ściany. Odbudują Nadzieję i dla Aleksieja, i dla siebie nawzajem...

Obudziła się z policzkami mokrymi od łez.

Ponownie ogarnęła ją beznadzieja szarego, pustego dnia. Przemogła się, by wstać, ubrać się, wmusić w siebie parę łyków herbaty, a potem udawać, że nic się nie zmieniło, że nadal żyje, prowadzi dom, robi zakupy.

Dziś dodatkowo musiała jechać do lekarza na wizytę kontrolną. Co trzy miesiące onkolog zlecał szereg badań, by potem kręcić nad nimi głową z miną zafrasowaną i zdziwioną jednocześnie. Zupełnie jakby obecność nieuleczalnego raka mogła dziwić kogoś takiego jak on.

Teraz też zerknął na wyniki USG i... powoli zdjął okulary, przetarł szkła, znów uniósł gęsto zadrukowaną kartkę do oczu.

– Pani Liliano – wyszeptał, a ona przygotowała się na najgorsze, a może najlepsze: umrze jutro? Pojutrze? Najdalej za tydzień? – Ja nie wiem, jak to jest możliwe – mówił dalej lekarz. – Ja... ja tego nie pojmuję, ale... rak się cofnął! Guzki zniknęły! A na dodatek... pani Liliano... – Głos mu się załamał. – Gratuluję pani z całego serca. To pewnie dlatego...

Nie ucieszyła się. Chciała jak najszybciej dołączyć do Aleksieja. To, że pożyje dłużej... nie, nie chciała o tym myśleć. Dopiero następne słowa lekarza...

– Jest pani w ciąży, droga Liliano. To ósmy tydzień, tak mi tu napisał lekarz, robiący USG. Ciąża czyni cuda i to widać jeden z nich. Bardzo się cieszę, dawno się tak nie cieszyłem.

Znów zdjął okulary, a potem objął kobietę i uściskał serdecznie.

Dopiero w tym momencie dotarło do niej to, co powiedział. Nosi pod sercem dziecko. Dziecko Aleksieja!

EPILOG

Urodziłeś się dziś rano, Aluś. Jesteś moim małym cudem. Patrzę na maleńkie paluszki ściskające mój kciuk, na drgające powieczki, na usteczka pracowicie ssące pierś i kocham cię całym sercem – tak samo, jak kochałam twojego tatę.

Nigdy go nie poznasz, nie poczujesz dotyku jego łagodnych, kochających dłoni; nie weźmie cię na barana, nie pobiegniecie drogą przez las; nie nauczy cię wszystkich tych pożytecznych rzeczy, jakich ojciec uczy syna, nie przekaże ci męskich tajemnic. To, że był dobrym, szlachetnym człowiekiem, który jeśli kochał, to raz na całe życie, całym sercem, będziesz znał z opowiadań. Tak bardzo mi żal, Aluś, tak żal...

Tutaj, zobacz, syneczku, on, twój tata, na zdjęciu. Tuż przed wyjazdem, przed rozstaniem. Stoi przy domu w Nadziei, wyprostowany, lekko uśmiechnięty, choć w oczach ma smutek, jakby przeczuwał, że nie wróci. Gdyby mógł cię zobaczyć, synuniu, gdyby mógł wziąć na ręce, byłby taki dumny, taki szczęśliwy...

Masz dopiero parę godzin, mój maleńki, przed tobą całe życie, ale już teraz przyrzekam ci, że będziesz szczęśliwszy, niż my byliśmy w dzieciństwie. Nie pozwolę cię skrzywdzić, nikt nie podniesie na ciebie ręki, nie uderzy nawet słowem. Masz mnie, swoją mamę, masz Andrzeja, który przyrzekł się nami opiekować, a wreszcie – czuwa nad tobą twój tatuś. Będziesz szczęśliwy, muszę w to wierzyć. Mam tę nadzieję.

Jeszcze jedno chcę ci przysiąc, Aleksiej: nigdy cię nie opuszczę, nigdy nie zostawię, nie zdradzę, nie rozczaruję.

Nigdy, nigdy, syneczku, nie będziesz sam.

Poziomka, 30 kwietnia 2012 r.

SPIS TREŚCI

Już wkrótce w serii „Z czarnym kotem"!

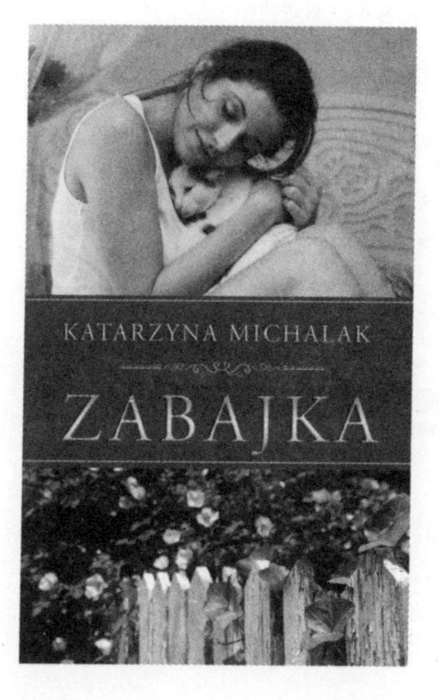

seria z czarnym kotem

Wydanie I, Poznań 2012

Projekt okładki: Katarzyna Lesiecka

Redakcja i korekta: Katarzyna Dobrzelewska – pracownia@edytorium.pl

Skład i łamanie: Michał Zieliński

Zdjęcia na okładce: Fotolia, denapril
iStockphoto, Jason Verschoor

Redakcja techniczna: Piotr Olesiński

Druk: Zakład Poligraficzny Moś i Łuczak
Książkę wydrukowano na papierze Ecco-Book Lux 80 g/m^2 vol. 1,8

ISBN: 978-83-62138-84-5

Wydawnictwo Termedia
ul. Kleeberga 2
61-615 Poznań
tel./faks +48 61 822 77 81
e-mail: termedia@termedia.pl
www.termedia.pl

Oficjalna strona książki: www.ksiazkanadzieja.pl
Wszelkie pytania prosimy kierować na adres: kontakt@ksiazkanadzieja.pl

Dołącz do fanów książki na Facebooku pod adresem: www.facebook.com/KatarzynaMichalakNadzieja